#수능구문첫걸음
#내가바로독해고수

바로 읽는
구문 독해

Chunjae
Makes
Chunjae

▼

[바로 읽는 구문 독해] LEVEL 3

기획총괄	장경률
편집개발	유순경, 김윤미, 최윤정, 오매남, 이시현, 이민선
디자인총괄	김희정
표지디자인	윤순미, 안채리
내지디자인	디자인뮤제오
제작	황성진, 조규영

발행일	2022년 5월 15일 2판 2022년 5월 15일 1쇄
발행인	(주)천재교육
주소	서울시 금천구 가산로9길 54
신고번호	제2001-000018호
고객센터	1577-0902
교재 내용문의	(02)3282-8834

중학부터 시작하는 수능 구문 첫걸음

바로 읽는 구문 독해

LEVEL 3

How to Use

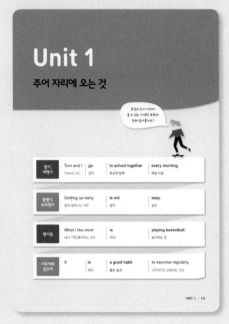

01
단원 미리 보기

이 단원에서 학습할 구문을 한눈에
보기 쉽게 정리하였습니다.

02
STEP 1 ≫ 구문 Start

- **개념** 핵심 문장으로 중요 개념을 익힙니다.
- **바로 예문** 영어 예문과 우리말 해석에 학습한 구문을 적용해 봅니다.
- **바로 훈련** 다양한 문장으로 구문 훈련을 해 봅니다.

WORKBOOK

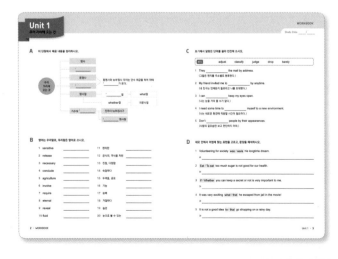

A 한눈에 개념 정리
도표를 완성하며 단원에서 배운 개념을 간단히 정리합니다.

B 어휘 Review
단원에서 학습한 어휘를 복습합니다.

C 어휘+문장
문장 속 어휘의 쓰임을 익힙니다.

D 어법+해석
어법 문제를 풀며 문장 해석 연습을 합니다.

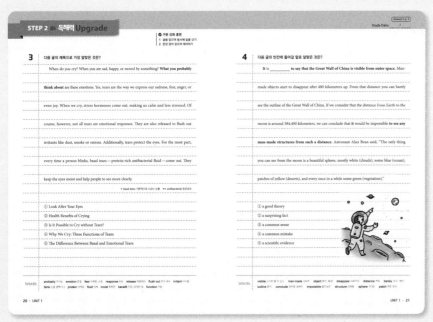

03

STEP 2 》》 독해력 Upgrade

• 수능 유형의 문제를 풀며 수능 만점 감각을 키웁니다.
• 전체 지문을 문장 단위로 학습하며 구문 강화 훈련을 합니다.

04

STEP 3 》》 구문 Master

• 구문+어법 어법 문제를 풀며 배운 구문을 재점검합니다.
• 구문 분석 노트 구문 분석 노트를 완성하며 배운 구문을 정리합니다.

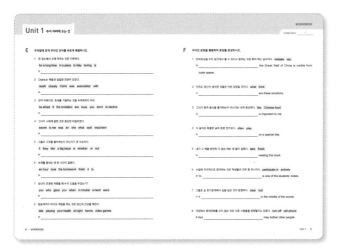

E 영작 훈련 1
주어진 표현을 배열하여 문장을 완성합니다.

F 영작 훈련 2
주어진 표현을 이용하여 문장을 완성합니다.

Contents

자기 주도 학습 관리표

단원	목차	공부한 날 월 / 일	복습한 날 월 / 일	나의 성취도 체크 (∨)			
				개념 이해	문제 풀이	오답 점검	누적 복습
UNIT 1 주어 자리에 오는 것	01 명사, 대명사						
	02 동명사, to부정사						
	03 명사절						
	04 가주어와 진주어						
UNIT 2 목적어 자리에 오는 것	01 동명사, to부정사						
	02 명사절 I						
	03 명사절 II						
	04 가목적어와 진목적어						
UNIT 3 보어 자리에 오는 것	01 동명사, to부정사 보어						
	02 분사 보어						
	03 명사절 주격 보어						
	04 원형부정사 목적격 보어						
UNIT 4 시제와 수동태	01 현재, 과거, 미래 시제						
	02 진행형과 완료형						
	03 수동태의 형태와 시제						
	04 부정문, 의문문, 동사구의 수동태						
UNIT 5 조동사	01 가능·허락·추측의 조동사						
	02 의무·충고·필요의 조동사						
	03 기타 조동사						
	04 조동사 + have p.p.						

Intro

01 문장의 구성 요소

문장을 이루는 구성 요소에는 주어, 동사, 목적어, 보어, 수식어가 있다.

The musical is interesting.
　주어　　　동사　　보어

My sister eats cereal in the morning.
　주어　　동사　목적어　　　수식어

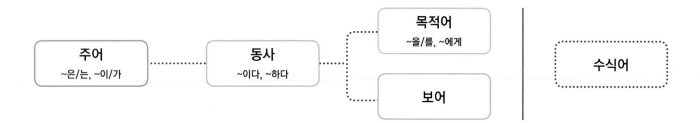

1　주어　　동사가 나타내는 동작이나 상태의 주체가 되는 말로, 주로 문장 맨 앞에 쓴다.

» **Emma** is from England. Emma는 영국 출신이다.
　주어　　동사

» **My brother** likes strawberry cake. 내 남동생은 딸기 케이크를 좋아한다.
　주어　　　　동사

2　동사　　주어의 동작이나 상태를 나타내는 말로, 주로 주어 뒤에 쓴다.

» They **are** very tired. 그들은 매우 피곤하다. 〈상태〉
　주어　동사

» Rabbits **run** faster than turtles. 토끼는 거북이보다 빨리 달린다. 〈동작〉
　주어　　동사

3 목적어   동사가 나타내는 동작의 대상이 되는 말로, 주로 동사 뒤에 쓴다.

» Sam grows **vegetables** in the garden. Sam은 정원에서 채소를 기른다.
   주어   동사   목적어

» Jane made **him a sandwich**. Jane은 그에게 샌드위치를 만들어 줬다.
   주어   동사 간접목적어 직접목적어

4 보어   주어나 목적어를 보충하여 설명하는 말로, 주로 동사나 목적어 뒤에 쓴다.

» She is **my homeroom teacher**. 그녀는 나의 담임선생님이다. 〈주격 보어〉
  주어 동사   보어

» The food looks **delicious**. 그 음식은 맛있어 보인다. 〈주격 보어〉
   주어   동사   보어

» The movie made them **sad**. 그 영화는 그들을 슬프게 만들었다. 〈목적격 보어〉
   주어   동사 목적어 보어

5 수식어   주어, 동사, 목적어, 보어 또는 문장 전체를 수식하여 의미를 더 자세하고 풍부하게 해 주는 말이다.

» The phone **on the table** is mine. 책상 위에 있는 전화는 내 것이다. 〈주어 수식〉
    주어   수식어   동사 보어

» The boy cried **loudly**. 그 소년은 큰소리로 울었다. 〈동사 수식〉
   주어   동사 수식어

바로 훈련 밑줄 친 부분이 어떤 문장 구성 요소인지 〈보기〉에서 골라 쓰시오.

1. His job is an animal doctor.
    (   ) (   )

2. The bird in the tree sings beautifully.
  (   ) (   )(   )

3. Mina and I will join the ski camp this winter.
  (   )   (   ) (   )

4. The news made them surprised.
        (   )(   )

보기

주어

동사

목적어

보어

수식어

02 품사

단어를 성격과 쓰임이 비슷한 것끼리 분류한 것으로, 영어에는 8개의 품사가 있다.

Oh, that sounds fun.
감탄사 대명사 동사 형용사

The small and skinny polar bear on the ice looks very hungry.
관사 형용사 접속사 형용사 명사 전치사 관사 명사 동사 부사 형용사

---

1 명사

사람, 동물, 사물, 장소 등의 이름을 나타내는 말로, 문장에서 주어, 목적어, 보어로 쓰인다.

e.g. Busan, water, idea, friend, family

» **Jejudo** is a popular **destination** for foreign **tourists**.

제주도는 외국인 관광객들에게 인기 있는 여행지이다.

---

2 대명사

명사를 대신하는 말로, 명사처럼 주어, 목적어, 보어로 쓰인다.

e.g. I, you, we, he, she, it, they, this, that

» I know the man. **He** lives next door to **me**. (He = the man)

나는 그 남자를 안다. 그는 내 옆집에 산다.

---

3 동사

사람, 동물, 사물 등의 동작이나 상태를 나타내는 말이다.

e.g. be동사(am, is, are), 일반동사(do, have, like, ...) 조동사(can, may, will, ...)

» My family **goes** camping every weekend.

우리 가족은 주말마다 캠핑을 떠난다.

---

4 형용사

사람, 사물의 상태, 모양, 성질, 수량 등을 나타내는 말로, 명사를 수식하거나 보어 역할을 한다.

e.g. good, kind, big, hot, cold, many, ...

» David and I are **good** friends.

David와 나는 좋은 친구이다.

5	부사	장소, 방법, 시간, 정도 등을 나타내며, 형용사, 동사, 다른 부사 또는 문장 전체를 수식한다.
		e.g. today, here, very, really, always, often, luckily, ...

» Judy speaks Korean **very well.**

Judy는 한국어를 매우 잘 말한다.

6	전치사	명사나 대명사 앞에 위치하여 장소, 방향, 시간, 수단 등을 나타내는 말이다.
		e.g. in, at, to, under, over, about, by, for, ...

» They went **to** the hospital **by** taxi.

그들은 택시를 타고 병원에 갔다.

7	접속사	단어와 단어, 구와 구, 절과 절을 이어주는 말이다.
		e.g. and, or, but, so, before, after, because, when, ...

» I like pizza, **but** my brother likes chicken.

나는 피자를 좋아하지만, 내 남동생은 치킨을 좋아한다.

8	감탄사	놀람이나 기쁨, 슬픔 등의 감정을 나타내는 말이다.
		e.g. oh, wow, um, oops, ...

» **Oh,** I like your new hairstyle.

오, 나는 너의 새로운 머리 모양이 마음에 들어.

바로 훈련 밑줄 친 부분의 품사를 〈보기〉에서 골라 쓰시오.

1. She is a popular singer.
( ) ( )( )

2. The black dog looks very scary.
( ) ( )( )

3. Oops, I left my wallet on the bus.
( ) ( ) ( )

4. Emma stayed at home because it rained heavily.
( ) ( ) ( ) ( )

보기

명사 대명사
동사 형용사
부사 전치사
접속사 감탄사

03 구와 절

두 개 이상의 단어가 모이면 구나 절이 된다.

My father enjoys watching baseball games.
                                  명사구

When she was young, she wanted to be a pilot.
         종속절(부사절)   주절

---

1 구 두 개 이상의 단어가 모여서 만들어지는 말로, 「주어 + 동사」가 없다. 명사구, 형용사구, 부사구가 있다.

» I like **walking in the rain**. 나는 빗속을 걷는 것을 좋아한다.
           명사구

» We need something **to drink**. 우리는 마실 것이 필요하다.
                  형용사구

» He went fishing **early in the morning**. 그는 아침 일찍 낚시하러 갔다.
               부사구

---

2 절 두 개 이상의 단어가 모여서 만들어지는 말로, 「주어 + 동사」를 포함한다. 명사절, 형용사절, 부사절이 있다.

» I believe **that he is telling the truth**. 나는 그가 진실을 말하고 있다고 믿는다.
               명사절

» The book **that you lent me** was interesting. 네가 나에게 빌려준 그 책은 재미있었다.
               형용사절

» I am hungry **because I skipped lunch**. 나는 점심을 걸러서 배가 고프다.
               부사절

바로 훈련 **밑줄 친 부분이 구인지 절인지 쓰시오.**

1. He wants to buy a new car. » _____

2. I didn't know that you have a twin sister. » _____

3. Just call me when you need my help. » _____

4. She likes to swim in the sea. » _____

Unit 1
주어 자리에 오는 것

문장의 주어 자리에
올 수 있는 다양한 표현에
관해 알아볼까요?

| 명사, 대명사 | Tom and I | go | to school together | every morning. |
| | Tom과 나는 | 간다 | 학교에 함께 | 매일 아침 |

| 동명사, to부정사 | Getting up early | is not | easy. |
| | 일찍 일어나는 것은 | 않다 | 쉽지 |

| 명사절 | What I like most | is | playing basketball. |
| | 내가 가장 좋아하는 것은 | 이다 | 농구하는 것 |

| 가주어와 진주어 | It | is | a good habit | to exercise regularly. |
| | | 이다 | 좋은 습관 | 규칙적으로 운동하는 것은 |

01 명사, 대명사

① **Climate change** / is / **the biggest threat** / to human beings.
　　주어: 명사구　　　동사　　　　보어

기후변화는 / 이다 / 가장 큰 위협 / 인간에게

② **They** / will classify / the documents / by date.
　주어: 대명사　　동사　　　　목적어

그들은 / 분류할 것이다 / 문서를 / 날짜별로

- 주어로 쓰이는 명사(구)와 대명사는 동사 앞에 위치하며 '~은/는/이/가'로 해석한다.
- 인칭대명사(주격), 지시대명사, 부정대명사, 의문대명사 등이 주어로 쓰일 수 있다.

바로예문　영어와 우리말에서 주어 찾기

1　He is very sensitive to weather.　　　　　그는 날씨에 매우 민감하다.

2　The last train for Busan has just left the station.　　부산행 마지막 열차가 방금 역을 떠났다.

3　One must adjust oneself to a new environment.　　사람은 새로운 환경에 적응해야 한다.

4　What makes you so anxious lately?　　　무엇이 요즘 당신을 걱정스럽게 하나요?

바로훈련　주어에 밑줄을 긋고, 문장을 해석하시오.

5　Both Tom's and Mike's birthdays come in October.

　》 _____

6　One of them is mine, and the others are my sister's.

　》 _____

7　This is the same watch as yours.

　》 _____

8　The speaker delivered a speech in front of a large audience.

　》 _____

9　Who gave you a hand when you were in trouble?

　》 _____

Words

threat 위협
classify 분류하다
sensitive 민감한, 섬세한
adjust oneself to
~에 적응하다
deliver a speech
연설하다
give ~ a hand
~을 도와주다

02　동명사, to부정사

① **Reading a newspaper every morning** / is / my mother's habit.
　　　주어: 동명사구　　　　　　　　　동사　　　　　보어

매일 아침에 신문을 읽는 것은 / 이다 / 우리 어머니의 습관

② **To take a bath in warm water** / helps / you / relax.
　　　주어: to부정사구　　　　　　　동사　목적어　목적격 보어

따뜻한 물에 목욕을 하는 것은 / 돕는다 / 당신이 / 긴장을 푸는 것을

- 동명사(구)와 to부정사(구)는 주어로 쓰일 수 있으며, 둘 다 '~하는 것은/~하기는'으로 해석한다. 앞에 not이 있는 경우 '~하지 않는 것은'으로 해석한다.
- 동명사(구)와 to부정사(구) 주어는 단수 취급을 하여 뒤에 단수 동사가 온다.

바로예문 영어와 우리말에서 주어 찾기

1　To watch a soccer match makes us really excited.　　축구 경기를 시청하는 것은 우리를 정말 신나게 한다.

2　Knitting a sweater was not easy for them.　　스웨터를 뜨는 것은 그들에게는 쉽지 않았다.

3　Making wise decisions isn't a simple thing.　　현명한 판단을 하는 것은 간단한 일이 아니다.

4　To keep quiet is required in the library.　　조용히 있는 것이 도서관에서 요구된다.

바로훈련 알맞은 표현을 고르고 문장을 해석하시오.

5　Learn / Learning　Chinese is getting more and more popular.

　》 _____

6　To stay in a place for a long time　need / needs　patience.

　》 _____

7　Read / To read　after dinner is part of his daily routine.

　》 _____

8　Traveling around the world　was / were　Yunji's longtime dream.

　》 _____

9　Not play / Not to play　computer games too much is necessary.

　》 _____

Words

habit 습관
knit 뜨다, 뜨개질 하다
make a decision 결정하다
require 요구하다
patience 인내, 참을성
daily routine 일상
necessary 필요한

1 빈칸 (A)와 (B)에 들어갈 연결어가 바르게 짝지어진 것은?

One of the most important Egyptian worship ceremonies involved Osiris. **Osiris** was the

god of land, agriculture, and vegetation. He was also closely associated with death. According

to legend, Osiris was murdered by his brother, Set. But his wife, Isis, brought him back to

life. (A) _____, by the rules of the Egyptian gods, Osiris was not allowed to live in the

land of the living anymore, since he was considered dead. He was sent to the underworld, to

watch over the dead and judge them when **they** entered the underworld. (B) _____,

the dead came to be associated with Osiris, and he also became the symbol of eternal life

that every Egyptian held.

* vegetation 식물

(A)	(B)	(A)	(B)
① However	⋯ As a result	② However	⋯ In addition
③ In addition	⋯ However	④ Therefore	⋯ In addition
⑤ As a result	⋯ Therefore		

Words   worship 숭배   ceremony 의식   involve 포함하다   agriculture 농작물   be associated with ~와 관련 되다
murder 살해하다   be allowed to ~하도록 허락되다   underworld 저승   judge 재판하다   eternal 영원한

2 | 다음 글의 목적으로 가장 알맞은 것은?

Americans often plan social gatherings on short notice, so don't be surprised if you get invited to someone's home, or to see a movie or baseball game without much warning. If the time is convenient for you, accept their invitation. But if you are busy, don't be afraid to decline the invitation. Of course, **to suggest a better time** may be polite. If a friend has invited you to drop by anytime, it is best to call before visiting to make sure it is convenient for them. Do not stay too long, since **overstaying your welcome** is not what you want.

Invitations are usually given in person or over the telephone. However, for some formal occasions, they will be written and sent through the mail.

① to advise   ② to thank   ③ to complain

④ to recommend   ⑤ to advertise

Words social gathering 사교 모임   warning 예고, 경고   convenient 편리한   decline 거절하다   suggest 제안하다
drop by 방문하다, 들르다   overstay one's welcome 너무 오래 머물러서 폐를 끼치다   formal 공식의   occasion 행사, 경우

03 명사절

① **What I want most now** / is / cold water to drink.
　　주어: 관계대명사 what이 이끄는 명사절　　동사　　보어

내가 지금 가장 원하는 것은 / 이다 / 차가운 마실 물

② **Whether he has time or not** / is / the problem.
　　주어: 접속사 whether가 이끄는 명사절　　동사　　보어

그에게 시간이 있는지 없는지가 / 이다 / 문제

- what이 이끄는 관계대명사절이 문장의 주어로 쓰일 수 있으며, '~인/한 것은'으로 해석한다.
- 접속사 whether가 이끄는 명사절은 '~인지 아닌지가'로 해석한다. whether절은 or not을 동반할 수 있다.
- 접속사 that이 이끄는 명사절은 '~라는/하다는 것은'으로 해석한다.
- 의문사가 이끄는 절도 명사절로 문장의 주어 역할을 할 수 있다.

바로 예문　영어와 우리말에서 주어 찾기

1　That she can speak Spanish isn't surprising.　　그녀가 스페인어를 할 수 있다는 것은 놀랍지 않다.

2　Why the meeting was canceled was unknown.　　그 모임이 왜 취소되었는지는 알려지지 않았다.

3　What Fred said to her was an important secret.　　Fred가 그녀에게 말한 것은 중요한 비밀이었다.

4　Whether she applied for it or not does not matter.　　그녀가 거기에 지원했는지 아닌지는 중요하지 않다.

바로 훈련　주어에 밑줄을 긋고, 문장을 해석하시오.

5　What moved me most was the boy's kindness.

　》 _____

6　Whether you trust me or not makes no difference.

　》 _____

7　That the truth will reveal itself has been believed by people.

　》 _____

8　What I like to do in summer is to go swimming at the beach.

　》 _____

9　Who will join the club is important.

　》 _____

Words

apply for ~에 지원하다
kindness 친절, 다정함
trust 신뢰하다
reveal (비밀 등을) 드러내다

04 가주어와 진주어

① **It** / is / a bad habit / **to stay up late at night**.
가주어 동사   보어   진주어: to부정사구

/ 이다 / 나쁜 습관 / 밤늦게까지 깨어 있는 것은

② **It** / is not / true / **that Jake doesn't like music**.
가주어   동사   보어   진주어: 명사절

/ 아니다 / 사실이 / Jake가 음악을 좋아하지 않는다는 것은

- to부정사구가 주어로 쓰인 문장은 가주어 It을 주어 자리에 쓰고 진주어인 to부정사구를 문장의 맨 뒤에 쓴다. 가주어 It은 해석하지 않는다.
- that절과 같은 명사절이 주어로 쓰인 경우에도 가주어 It을 주어 자리에 쓰고 진주어인 명사절은 문장의 맨 뒤에 쓴다.

바로예문 영어와 우리말에서 진주어 찾기

1 It is useless to cry over spilt milk.   엎지른 우유를 두고 우는 것은 소용없다.

2 It is known that Bill is good at playing the cello.   Bill이 첼로 연주를 잘한다는 것이 알려져 있다.

3 It takes a long time to master a foreign language.   외국어를 숙달하는 데는 오랜 시간이 걸린다.

4 It isn't clear who wrote this poem.   누가 이 시를 썼는지는 확실하지 않다.

바로훈련 알맞은 표현을 골라 진주어를 완성하고, 문장을 해석하시오.

5 It is a good safety habit to / that wear a seat belt.

   ≫ _____

6 It is clear to / that our team will win the final game.

   ≫ _____

7 It took three hours to / that finish my science homework.

   ≫ _____

8 It was uncertain to / whether they would agree with us.

   ≫ _____

9 It is a pity to / that you can't solve that easy math problem.

   ≫ _____

Words

spill 엎지르다
master 숙달하다
safety 안전
pity 유감스러운 일

3 | 다음 글의 제목으로 가장 알맞은 것은?

When do you cry? When you are sad, happy, or moved by something? **What you probably think about** are these emotions. Yes, tears are the way we express our sadness, fear, anger, or even joy. When we cry, stress hormones come out, making us calm and less stressed. Of course, however, not all tears are emotional responses. They are also released to flush out irritants like dust, smoke or onions. Additionally, tears protect the eyes. For the most part, every time a person blinks, basal tears — protein-rich antibacterial fluid — come out. They keep the eyes moist and help people to see more clearly.

* basal tears 기본적으로 나오는 눈물 ** antibacterial 항균성의

① Look After Your Eyes

② Health Benefits of Crying

③ Is It Possible to Cry without Tears?

④ Why We Cry: Three Functions of Tears

⑤ The Difference Between Basal and Emotional Tears

Words probably 아마도   emotion 감정   fear 두려움, 공포   response 반응   release 배출하다   flush out 씻어 내다   irritant 자극물   blink 눈을 깜빡이다   protein 단백질   fluid 액체   moist 촉촉한   benefit 이점, 유익한 점   function 기능

4 다음 글의 빈칸에 들어갈 말로 알맞은 것은?

It is _____ to say that the Great Wall of China is visible from outer space. Man-

made objects start to disappear after 480 kilometers up. From that distance you can barely

see the outline of the Great Wall of China. If we consider that the distance from Earth to the

moon is around 384,400 kilometers, we can conclude that **it** would be impossible **to see any**

man-made structures from such a distance. Astronaut Alan Bean said, "The only thing

you can see from the moon is a beautiful sphere, mostly white (clouds), some blue (ocean),

patches of yellow (deserts), and every once in a while some green (vegetation)."

① a good theory

② a surprising fact

③ a common sense

④ a common mistake

⑤ a scientific evidence

Words   visible 눈으로 볼 수 있는   man-made 인공의   object 물건, 물체   disappear 사라지다   distance 거리   barely 거의 ~없이

outline 윤곽   conclude 결론을 내리다   impossible 불가능한   structure 건축물   sphere 구(球)   patch 작은 조각

네모 안에서 알맞은 표현을 고르시오.

1 It is hard to / that exercise regularly.

2 Not eating / Not eat too many sweets is necessary.

3 Play / To play chess with my father is so much fun.

4 That / What I want most is the warm words of others.

5 Whether / What they support her or not matters.

6 It is important to / that we listen to the voice of the people.

7 That / What Brian quit his job was a great pity.

8 Taking good care of babies is / are hard work.

 구문 분석 노트를 완성하시오.

1 What makes you so happy today?
　　　주어　　동사 ❶　　　　　목적격 보어

구문: 의문대명사 what이 문장의 ❷_____ 로 쓰였다.

해석: ❸_____ 무엇이 당신을 그렇게 기쁘게 하나요?

2 To play tennis became popular in Korea.
　　　❶　　　　　동사　　　보어

구문: ❷_____ 가 주어로 쓰였다.

해석: 테니스를 치는 것이 ❸_____ 에서 인기를 얻었다.

3 Whether you like him or not matters.
　　　　　　　　주어　　　　　　❶

구문: whether는 주어로 쓰이는 ❷_____ 을 이끈다.

해석: 당신이 그를 ❸_____ 아닌지가 중요하다.

4 It is impossible to finish the work.
　　가주어 동사　　보어　　　　❶

구문: 진주어인 to부정사구를 대신해 주어 자리에 ❷_____ 을 썼다.

해석: 그 일을 ❸_____ 은 불가능하다.

LINK WORKBOOK p. 2

Unit 2

목적어 자리에 오는 것

동사의 대상이 되는 목적어 자리에는 명사, 대명사 외에도 다양한 표현이 올 수 있어요.

동명사, to부정사	My father 나의 아버지는	enjoys 즐기신다	fishing with me. 나와 낚시하는 것을	

명사절 I	She 그녀는	remembers 기억한다	what he told her last week. 지난주에 그가 말한 것을	

명사절 II	I 나는	wonder 궁금하다	if we can meet again tomorrow. 우리가 내일 다시 만날 수 있을지	

가목적어와 진목적어	They 그들은	found 알았다	it 즐겁다는 것을	pleasant to help each other. 서로 돕는 것이

01 동명사, to부정사

① We / enjoyed / **making dinner** / at the camp.
　　주어　　동사　　목적어: 동명사구

우리는 / 즐겼다 / 저녁을 만드는 것을 / 캠프에서

② Don't forget / **to give my regards to your family**.
　　동사　　　　　　목적어: to부정사구

잊지 마라 / 당신의 가족에게 나의 안부를 전하는 것을

- 동명사(구)와 to부정사(구)는 동사의 목적어로 쓰일 수 있으며 '~하는 것을'로 해석한다.
- 동명사를 목적어로 취하는 동사: avoid, consider, enjoy, finish, mind, practice, quit, stop, give up 등
- to부정사를 목적어로 취하는 동사: agree, decide, expect, hope, intend, plan, wish, want, refuse 등
- remember, forget, try 등의 동사는 목적어로 동명사와 to부정사를 쓸 때 의미가 달라진다.

바로예문 영어와 우리말에서 목적어 찾기

1 She practices standing on her hands every morning.　　그녀는 매일 아침 물구나무 서는 것을 연습한다.

2 They refused to go with their parents.　　그들은 부모님과 함께 가기를 거부했다.

3 I forgot to call my mother this morning.　　나는 오늘 아침에 엄마에게 전화하는 것을 잊어버렸다.

4 Tom tried not to eat anything after 6 p.m.　　Tom은 오후 6시 이후 아무것도 먹지 않으려고 노력했다.

바로훈련 목적어에 밑줄을 긋고, 문장을 해석하시오.

5 I expect to see my cousin next weekend.

》 _____

6 I remember promising him to buy a cake on my way home.

》 _____

7 My sister planned to learn to cook, but she couldn't.

》 _____

8 I will finish writing the report on the accident by five.

》 _____

9 They decided to buy their son a literature collection.

》 _____

Words

regards 안부
stand on one's hands
물구나무서다
accident 사고
literature 문학

02 명사절 I

① We / found / **that the movie was a little disappointing**.
　　주어　　동사　　　　목적어: 접속사 that이 이끄는 명사절
우리는 / 알게 되었다 / 그 영화가 좀 실망스럽다는 것을

② You / may take / **what you want most** / in the shop.
　　주어　　동사　　　　목적어: 관계대명사 what이 이끄는 명사절
당신은 / 가져도 된다 / 가장 원하는 것을 / 이 가게에서

- 접속사 that이 이끄는 명사절이 동사 say, know, think, believe, find, hope, hear 등의 목적어로 쓰일 수 있다. 주로 '~라는 것을 /~라고'로 해석한다. 이때 that은 보통 생략할 수 있다.
- 관계대명사 what이 이끄는 명사절도 동사의 목적어로 쓰일 수 있으며, '~하는 것을'로 해석한다.

바로예문 영어와 우리말에서 목적어 찾기

1 He realized that it is the only way to succeed.　　그는 이것이 성공할 수 있는 유일한 방법이라는 것을 깨달았다.

2 I know what you did last weekend.　　나는 당신이 지난 주말에 한 일을 알고 있다.

3 In the past, people believed that the Earth was flat.　　과거에 사람들은 지구가 평평하다고 믿었다.

4 He doesn't remember what he said to Ben yesterday.　　그는 자신이 어제 Ben에게 한 말을 기억하지 못한다.

바로훈련 빈칸에 that 또는 what을 넣고, 문장을 해석하시오.

5 I didn't know _____ the flower was used as a medicine.

　》 _____

6 She decided to give her sister _____ she got from the contest.

　》 _____

7 They didn't understand _____ she wanted to say.

　》 _____

8 Research shows _____ exercise helps improve our brain activity.

　》 _____

9 The news reports _____ there will be a huge storm tomorrow.

　》 _____

Words
disappointing 실망스러운
flat 평평한
medicine 약, 약물
report 보도하다
storm 폭풍우

1 | 다음 글의 빈칸에 들어갈 연결어로 가장 알맞은 것은?

While blue is one of the most popular colors, it is one of the least appetizing. If you plan

to lose weight, I suggest you put your food on a blue plate. Or even better than that, put a

blue light in your refrigerator or dye your food blue, and your appetite will disappear. Why

does this work? Blue food is rare in nature. There are no leafy blue vegetables and few blue

fruits besides blueberries. Consequently, we don't have an automatic appetite response to

blue. _____, our primal nature avoids eating food that is poisonous. When our earliest

ancestors searched for food, blue, purple, and black were "color warning signs" of toxic food.

① In fact   ② By contrast   ③ As a result

④ Furthermore   ⑤ For example

Words | appetizing 식욕을 돋게 하는   weight 무게   refrigerator 냉장고   dye 염색하다   disappear 사라지다   rare 드문
leafy 잎이 무성한   consequently 그 결과   primal 원시의, 태고의   poisonous 독성의   ancestor 조상   toxic 독성의

2　다음 글을 쓴 목적으로 가장 알맞은 것은?

　　Mega and Zapa are two lovely Yorkshire terriers I have. Last month, Mega gave birth to four puppies. They all are so cute and lovely. But I don't have enough space for them. I am giving them up for adoption so that they can live in a better environment. I want the puppies to live in a caring home and also with a family that will take good care of them. I hope **that they can stay in the same home** because they grew up together. They are very energetic and love to play with each other. If you want cute new puppies to join your family, please contact me by e-mail. I will tell you **what you want to know about them**. Thank you for your time.

① 강아지 분양을 광고하려고

② 강아지 분실 신고를 하려고

③ 애완동물을 버리는 행위를 비난하려고

④ 애완동물이 주는 즐거움에 대해 설명하려고

⑤ 애완동물을 키울 때 주의할 점을 안내하려고

Words　give birth (아이·새끼를) 낳다　give up ~ for adoption ~을 입양 보내다　caring 돌보는, 배려심 많은　grow up 성장하다
energetic 활동적인, 활발한　contact 연락하다

03 명사절 II

① He / didn't tell / me / **why Nora called him**.
　　주어　　동사　　간접목적어　　　직접목적어: 의문사절

그는 / 말해주지 않았다 / 내게 / 왜 Nora가 그에게 전화했는지를

② I / doubt / **if she will be the class president this semester**.
　주어　동사　　　　　　　　목적어: 접속사 if가 이끄는 명사절

나는 / 의문이다 / 이번 학기에 그녀가 학급회장이 될지

- 「의문사＋주어＋동사~」로 이루어진 명사절은 의문사에 따라 '누가 / 언제 / 왜 / 어디서 / 무엇을 / 어떻게 ~하는지를'로 해석한다.
- 접속사 whether와 if가 이끄는 명사절은 '~할지' 또는 '~인지 아닌지'로 해석한다. whether 뒤에는 or not이 함께 쓰이기도 한다.

바로예문 영어와 우리말에서 목적어 찾기

1 Do you know who wrote *On the Origin of Species*?　　당신은 누가 '종의 기원'을 썼는지 아는가?

2 He doesn't know which is better for her present.　　그는 그녀의 선물로 어느 것이 더 좋은지 모르겠다.

3 She doubts if he will come to help her.　　그녀는 그가 그녀를 도우러 올지 의심스럽다.

4 I wonder whether Sean will come to the party or not.　　나는 Sean이 파티에 올지 안 올지 궁금하다.

바로훈련 목적어에 밑줄을 긋고, 문장을 해석하시오.

5 I'm not sure if it will rain in Jejudo tomorrow.

　》 _____

6 I wonder whether I could ask you a few questions.

　》 _____

7 Mr. Parker wasn't sure whether he could sell his shoes in Africa or not.

　》 _____

8 This documentary shows you how animals talk to each other.

　》 _____

9 The police are trying to find out where the criminal buried the weapon.

　》 _____

Words
class president 학급회장
semester 학기
documentary 기록 영화
bury 묻다
weapon 무기

04   가목적어와 진목적어

① Judy / makes / **it** / a rule / **to read one book a week**.
　　주어　　　동사　　가목적어　　목적격 보어　　　　　　진목적어: to부정사구

　Judy는 / 삼고 있다 / 규칙으로 / 한 주에 한 권의 책을 읽는 것을

② I / found / **it** / interesting / **that turtles swim fast under the sea**.
　주어　　동사　　가목적어　　목적격 보어　　　　　　　　진목적어: 명사절

　나는 / 생각했다 / 흥미롭다고 / 거북이가 바닷속에서 빠르게 헤엄친다는 것이

- to부정사구나 that이 이끄는 명사절이 목적어로 쓰인 문장에서, it을 목적어 자리에 쓰고 진목적어인 to부정사구나 that절을 문장 맨 뒤에 쓴다. 이때 it은 해석하지 않는다.
- 「주어+동사+목적어+(형용사/명사) 목적격 보어」 구조의 문장에서 주로 이렇게 사용하며, '…하는 것이 ~하다고/~라는 것을'로 해석한다.

바로예문   영어와 우리말에서 진목적어 찾기

1　You'll find it pleasant <u>to live with dogs</u>.
　　당신은 개와 함께 사는 것이 즐겁다는 것을 알게 될 것이다.

2　He believes it natural that all life fears death.
　　그는 모든 생명이 죽음을 두려워하는 것은 당연하다고 믿는다.

3　I considered it useless to continue the discussion.
　　나는 그 토론을 계속하는 것이 소용 없다고 여겼다.

4　She thinks it possible that Jerry will pass the audition.
　　그녀는 Jerry가 오디션에 통과하는 것이 가능하다고 생각한다.

바로훈련   빈칸에 that 또는 to를 넣고, 문장을 해석하시오.

5　We consider it an honor _____ be a member of the team.

　»　_____

6　The gentleman found it difficult _____ make others laugh.

　»　_____

7　Make it clear _____ you won't see such a violent movie again.

　»　_____

8　He thinks it possible _____ aliens exist in outer space.

　»　_____

9　They thought it helpful _____ set an achievable goal.

　»　_____

Words

turtle 거북이
pleasant 쾌적한, 즐거운
fear 두려워하다
violent 폭력적인
outer space 우주 공간
achievable 달성할 수 있는

3 다음 글의 밑줄 친 부분 중, 어법상 어색한 것은?

People have argued about **whether organic food is beneficial or not**. Basically, organic

food has several benefits over non-organic food. Organic foods are produced ① <u>without</u>

<u>using</u> any harmful chemicals for preventing bugs or weeds. So they are more nutritious and

healthier. The absence of chemicals in the production of organic foods ② <u>results in</u> fewer

pollutants in the soil. It also allows a lot of plants and animals ③ <u>to survive</u>, leading to a

healthier ecosystem. Now, you would be wondering ④ <u>what</u> there are any problems with

consuming them. Organic food is expensive and not easily available. Also, it's not easy ⑤ <u>to</u>

<u>keep</u> it fresh long.

Words argue 논쟁하다   organic 유기농의   beneficial 유익한   produce 생산하다   harmful 해로운   chemical 화학물질
prevent 예방하다   nutritious 영양분이 많은   absence 부재   pollutant 오염 물질   ecosystem 생태계   consume 소비하다

4

다음 글에서 빈칸 (A)와 (B)에 들어갈 말이 바르게 짝지어진 것은?

Do you remember your best friend's phone number? Can you go to a town you visited

last year without using your smartphone map? If so, good for you. If not, well, you're not

alone. Many of us in the busy 21st century are finding **it** more and more (A) _____ **to**

remember everyday details like phone numbers. It's puzzling that technology has made

our lives easier and more convenient while also making us (B) _____. The Internet

has become our brain's hard drive, speed dial has stopped us from memorizing friends'

phone numbers, and GPS has taken over the joy of finding locations with paper maps.

Ironically, we have become "the forgetful generation."

	(A)		(B)		(A)		(B)
①	difficult	⋯	lazier	②	difficult	⋯	smarter
③	important	⋯	smarter	④	unnecessary	⋯	lazier
⑤	unnecessary	⋯	busier				

Words   century 세기   puzzling 당혹스러운, 어리둥절한   convenient 편리한   speed dial 단축키   memorize 암기하다
take over 빼앗다   ironically 아이러니하게도, 얄궂게도   forgetful 잘 잊어버리는   generation 세대

Answers p. 8

Study Date: _____ / _____

 네모 안에서 알맞은 표현을 고르시오.

1   I thought it possible to / that   the weather would be hotter.

2   She will finish writing / to write   this report by Friday.

3   I doubt that / whether   he is telling the truth.

4   He didn't remember meeting / to meet   me at the gym before.

5   I believe it necessary to / that   always tell the truth.

6   Studies show if / that   students do best in a quiet place.

7   People asked what / how   he could cross the Atlantic Ocean.

8   Do you know that / what   tomatoes were considered poisonous?

 구문 분석 노트를 완성하시오.

1   They put off leaving for Spain.
    동사   ❶

구문: 동사 put off는 ❷ [____] 를 목적어로 취한다.

해석: 그들은 스페인으로 떠나는 것을 ❸ [____] .

2   I heard that she really liked my present.
    동사   ❶

구문: 접속사 ❷ [____] 이 이끄는 명사절이 목적어로 쓰이고 있다.

해석: 나는 그녀가 정말로 나의 ❸ [____] 을 좋아했다고 들었다.

3   She doesn't know if it is true.
    동사   ❶

구문: if 이하는 동사 know의 목적어로 쓰인 ❷ [____] 이다.

해석: 그녀는 그것이 ❸ [____] 모른다.

4   We found it difficult to solve the puzzle.
    동사   목적격 보어   진목적어
         ❶

구문: 문장에서 to이하가 ❷ [____] 역할을 한다.

해석: 우리는 퍼즐을 푸는 것이 ❸ [____] 알았다.

LINK WORKBOOK p. 6

Unit 3

보어 자리에 오는 것

문장에서 주어와 목적어를 보충해주는 역할을 하는 다양한 주격 보어와 목적격 보어 표현을 알아보아요.

동명사, to부정사 보어	My dream	is	to be a vet.
	나의 꿈은	이다	수의사가 되는 것

분사 보어	Their phone numbers	remain	unchanged.
	그들의 전화번호는	남아 있다	변하지 않은 채

명사절 주격 보어	The problem	is	that I often forget things.
	문제는	이다	내가 뭔가를 잘 잊어버린다는 것

원형부정사 목적격 보어	My parents	didn't let	me	eat cookies.
	나의 부모님은	허락하지 않으셨다	내가	쿠키를 먹게

01 동명사, to부정사 보어

① My hobby / is / collecting old coins and foreign stamps.
　　주어　　　동사　　　　　주격 보어: 동명사

나의 취미는 / 이다 / 오래된 동전과 외국 우표를 모으는 것

② She / asked / him / to lend her some money.
　주어　　동사　　목적어　　　목적격 보어: to부정사

그녀는 / 요청했다 / 그에게 / 그녀에게 돈을 좀 빌려달라고

- 동명사와 to부정사는 be동사 다음에 위치하여 주격 보어 역할을 한다. 이때 「be동사+동명사/to부정사」는 '~하는 것이다' 또는 '~하기이다'로 해석한다.
- to부정사는 동사 ask, expect, want, tell, allow, advise, encourage, persuade 등의 목적어 다음에 쓰여 목적격 보어 역할을 할 수 있다. 「목적어+to부정사」는 '(목적어)가 ~하기를/~하도록'으로 해석한다.

바로예문 영어와 우리말에서 보어 찾기

1 Her dream was to be a vet and cure animals.　　그녀의 꿈은 수의사가 되어 동물들을 치료하는 것이었다.

2 Mom told me to add a lemon peel to the cake.　　엄마는 케이크에 레몬 껍질을 넣으라고 내게 말하셨다.

3 His only joy is listening to music alone.　　그의 유일한 즐거움은 혼자 음악을 듣는 것이다.

4 Ms. White encourages her students to read a lot.　　White선생님은 학생들에게 독서를 많이 하라고 권장한다.

바로훈련 보어에 밑줄을 긋고, 문장을 해석하시오.

5 The key point of his talk is not to drink water before a check-up.

» _____

6 The doctor advised me not to eat too many sweets.

» _____

7 One of the activities to relieve my stress was doing some yoga.

» _____

8 My plan this Friday is watching a horror movie.

» _____

9 They want their president to improve their country.

» _____

Words
vet 수의사
cure 치료하다
peel 껍질
encourage 권장하다
check-up 건강 검진
relieve 풀다, 완화하다
improve 개선하다

02 분사 보어

① The mystery / remained / **unsettled**.
　　주어　　　　동사　　　주격 보어: 과거분사

그 미스터리는 / 남아 있었다 / 해결되지 않은 채로

② Mr. Edwards / watched / his daughter **playing basketball**.
　　주어　　　　동사　　　목적어　　　목적격 보어: 현재분사

Edwards씨는 / 지켜보았다 / 그의 딸이 / 농구하는 것을

- 현재분사와 과거분사는 be동사, 감각 동사(feel, sound, look 등), 상태 동사(become, get, remain 등) 뒤에서 주격 보어로 쓰일 수 있다. 현재분사는 '~하는'이라는 능동·진행의 의미, 과거분사는 '~된'이라는 수동·완료의 의미를 가진다.
- 현재분사와 과거분사가 목적격 보어로 쓰일 때, 「목적어+현재분사」는 '(목적어)가 ~하고 있는 것을'로 해석하고 「목적어+과거분사」는 '(목적어)가 ~된 것을/~되도록'으로 해석한다.

바로예문 영어와 우리말에서 보어 찾기

1 Mike looked surprised at the news.　　　　　Mike는 그 소식에 놀란 것처럼 보였다.

2 He had his bag stolen on the train for Chicago.　그는 가방을 시카고행 기차에서 도난당했다.

3 I heard Jenny reading her sister a fairy tale.　나는 Jenny가 여동생에게 동화를 읽어 주는 것을 들었다.

4 These highway signs are very confusing.　　이 고속도로 표지판들은 매우 헷갈린다.

바로훈련 알맞은 표현을 고르고, 문장을 해석하시오.

5 The two-hour hike was really exhausting / exhausted .

》 _____

6 He had his rotten tooth pull / pulled out this afternoon.

》 _____

7 He heard the radio turning / turned on too loud.

》 _____

8 She sat burying / buried in thought for some minutes.

》 _____

9 Tony saw his teacher walking / walked toward the river.

》 _____

Words

unsettled 불확실한
stolen 도난당한
exhausting 진을 빼는
rotten 썩은
buried 파묻힌

1 다음 글의 주제로 가장 알맞은 것은?

Dancheong is a beautiful decorative pattern painted on the wooden architecture of ancient Korea. Ancient Korean people constructed many wooden buildings. Naturally, they needed to preserve the wooden buildings for a long time. *Dancheong* could protect the wood in the building. This was one of the reasons for using it. The second reason was **to cover the roughness of the wood**. The wood, which was usually from a pine tree, was likely to be cracked. *Dancheong* could cover these cracks. The third reason was **to correct mistakes**. When an architect made a mistake, the pine tree could be twisted up and down. *Dancheong* could cover their mistakes, too.

① 단청의 장식 효과   ② 목조 건물의 단점

③ 단청을 사용한 이유   ④ 건축가에게 필요한 자질

⑤ 한국 전통 가옥의 특징

Words   decorative 장식용의   wooden 나무로 된   architecture 건축물   construct 건설하다   preserve 보존하다
roughness 거칢   pine tree 소나무   crack 갈라지다, (갈라져서 생긴) 금   twist 비틀리다

2 다음 글에 나타난 'I'의 심정으로 가장 알맞은 것은?

At last, the circus opened at the recreation field near the river last night. I was really

looking forward to watching the performance. After standing in line for two hours, I got

into the theater. A large audience watched a monkey ride a motorbike and saw twenty pretty

girls **carried around the ring by elephants** as they danced to the music. I watched a girl get

tied up with rope and locked in a box, and she escaped smiling a few minutes later. When I

saw a pretty young knife-thrower **casually tossing knives at her husband,** I couldn't breathe

or say a word. I laughed a lot too as I watched a clown **riding a unicycle while juggling.**

* unicycle 외발자전거

① sad and gloomy

② excited and amused

③ worried and nervous

④ bored and disappointed

⑤ surprised and embarrassed

Words   performance 공연   stand in line 일렬로 나란히 서다   audience 관중, 관객   tied up 꼼짝 못하는, 꽁꽁 묶인   escape 탈출하다
casually 무심코   toss 가볍게 던지다   breathe 숨을 쉬다   clown 광대   gloomy 우울한   embarrassed 당황한

03 명사절 주격 보어

① The question / is / **whether it is true or false**.
　　주어　　　　 동사　　 주격 보어: whether가 이끄는 명사절

문제는 / 이다 / 그것이 사실인지 거짓인지

② This / is / **how she got her job**.
　주어　 동사　 주격 보어: 선행사가 생략된 관계부사절

이것이 / 이다 / 그녀가 일자리를 구한 방법

- 접속사 that과 whether가 이끄는 명사절, 그리고 what이 이끄는 관계대명사절은 be동사 뒤에서 주격 보어로 쓰일 수 있다.
- 「why / how / when / where + 주어 + 동사」로 이루어진 관계부사절은 선행사가 생략된 형태로 be동사 뒤에서 주격 보어로 쓰일 수 있다. 「be동사 + 관계부사절」은 '~한 이유 / 방법 / 때 / 장소이다'로 해석한다.

바로예문 영어와 우리말에서 보어 찾기

1 The trouble was that he didn't bring his wallet.   문제는 그가 지갑을 가져오지 않았다는 것이었다.

2 This cafe is where we met for the first time.   이 카페는 우리가 처음 만났던 곳이다.

3 This book is exactly what I've been looking for.   이 책이 정확히 내가 찾고 있던 것이다.

4 That is why we must conserve energy.   그것이 우리가 에너지를 보존해야 하는 이유이다.

바로훈련 보어에 밑줄을 긋고, 문장을 해석하시오.

5 Queen's Road was where he had a traffic accident last month.

　» _____

6 My only concern is whether the child has found his mother or not.

　» _____

7 This teddy bear is what my little sister really wants to get.

　» _____

8 June 25, 1950 was when the Korean War broke out.

　» _____

9 The surprising news was that Jane would go back to her country.

　» _____

Words

false 거짓
conserve 보존하다
concern 관심사, 걱정
break out 발발하다

04 원형부정사 목적격 보어

① I / saw / James / **play the guitar on the bench**.
　　주어　지각동사　목적어　　　　　　목적격 보어: 원형부정사

　나는 / 보았다 / James가 / 벤치에서 기타 치는 것을

② **My dad** / let / me / **go to the movies with my friends**.
　　주어　사역동사　목적어　　　　목적격 보어: 원형부정사

　아빠는 / 허락해 주셨다 / 내가 / 친구들과 영화 보러 가는 것을

- see, watch, hear, feel 등의 지각동사는 원형부정사를 목적격 보어로 취한다. 「지각동사＋목적어＋원형부정사」는 '(목적어) 가 ~하는 것을 보다/듣다/느끼다.'로 해석한다.
- have, make, let 등의 사역동사는 원형부정사를 목적격 보어로 취한다. 「사역동사＋목적어＋원형부정사」는 '(목적어)가 ~하 게 시키다/허락하다'로 해석한다.

바로예문 영어와 우리말에서 보어 찾기

1 Sam felt something fall from the ceiling.　　Sam은 무엇이 천장에서 떨어지는 것을 느꼈다.

2 I'll have him weed the flower bed.　　나는 그에게 화단의 잡초를 뽑게 할 것이다.

3 She heard her son scream in his room.　　그녀는 자신의 아들이 자기 방에서 소리 지르는 것을 들었다.

4 He made his dog run after a ball.　　그는 자신의 개에게 공을 쫓아 뛰게 했다.

바로훈련 알맞은 표현을 고르고, 문장을 해석하시오.

5 I felt the house shake / to shake violently last night.

　》 _____

6 My sister made me buy / to buy some snacks on my way home.

　》 _____

7 My parents didn't let us read / reading a book in the dim light.

　》 _____

8 I saw some items disappear / to disappear before my eyes.

　》 _____

9 Fred watched his friends dance / to dance on the street.

　》 _____

Words

ceiling 천장
weed 잡초를 뽑다
flower bed 화단
scream 소리 지르다
violently 극심하게
dim 어둑한, 흐릿한
disappear 사라지다

3 (A), (B), (C)의 각 네모 안에서 어법에 맞는 표현을 골라, 바르게 짝지은 것은?

Hotels come in all shapes and sizes, but there are also "hotels" run by people from their own homes. These are (A) called / calling bed and breakfast inns, or simply B&Bs. At a B&B, the guest sleeps in one of the rooms of the house. The best thing about these inns (B) are / is **that customers are welcome to make themselves at home in other rooms of the house, including the kitchen**. Many B&Bs schedule "social hours" in the evening. These times are **when guests can meet other people staying at the inn or chat with the owners.**

Another nice thing is (C) that / whether breakfast comes with the room.

	(A)		(B)		(C)
①	called	…	are	…	that
②	called	…	is	…	that
③	called	…	are	…	whether
④	calling	…	are	…	that
⑤	calling	…	is	…	whether

Words   run 경영하다, 운영하다   inn 숙소   customer 손님, 고객   be welcome to ~해도 좋다   make oneself at home 편하게 지내다
including ~을 포함하여   schedule 예정에 넣다   chat 잡담하다

4 다음 글의 요지로 가장 알맞은 것은?

Today, CCTV is considered the best solution in reducing crime. It watches people in stores, banks, schools, and even in elevators. When thieves try to steal money from a bank, CCTV records them and gives the police the most important information about them. If there is CCTV in apartment buildings, people feel safer at night. However, CCTV often makes us **feel uncomfortable**. When we think someone is watching us **eat, sleep, or talk with friends**, we cannot do anything. Some people use CCTV in bad ways. They record other people's private lives and use them for bad purposes. Although CCTV plays an important role in reducing crime, it can cause other crimes.

① CCTV로 인한 사생활 침해가 심각하다.

② CCTV는 범죄를 줄이는 가장 좋은 해결책이다.

③ 모든 아파트에 CCTV를 의무적으로 설치해야 한다.

④ 범죄 예방을 위해서는 개인의 사생활 침해를 감수해야 한다.

⑤ CCTV로 인해 범죄가 감소하기도 하지만 또 다른 범죄를 유발하기도 한다.

Words consider ~라고 여기다   reduce 줄이다   record 녹화하다   uncomfortable 불편한   private 사적인   purpose 목적, 의도
play an important role in ~에 중요한 역할을 하다   crime 범죄

네모 안에서 알맞은 표현을 고르시오.

1   I made my dog run / to run after a ball.

2   My hobby is taken / taking care of animals.

3   The question is why / whether she will like it or not.

4   She became embarrassing / embarrassed at the news.

5   I heard the cat to cry / crying in the middle of the night.

6   My brother didn't allow me enter / to enter his room.

7   They watched their son sing / to sing on the stage.

8   Hot chocolate is what / how I really want to drink.

 구문 분석 노트를 완성하시오.

1   My friends encouraged me to start again.
    주어   ❶   목적어   목적격 보어

구문: 문장의 목적격 보어로 ❷ [   ] 가 쓰였다.

해석: 친구들은 내게 다시 ❸ [   ] 격려했다.

2   Mike remained unmarried all his life.
    주어   동사   ❶

구문: unmarried는 주격 보어로 쓰인 ❷ [   ] 이다.

해석: Mike는 평생 독신으로 ❸ [   ] .

3   That is why we support her.
    주어 동사   ❶

구문: why 이하는 ❷ [   ] 가 생략된 형태의 관계부사절로, 주격 보어 역할을 한다.

해석: 그것이 우리가 그녀를 지지하는 ❸ [   ] 이다.

4   He let his daughter watch TV.
    주어 동사 ❶   목적격 보어

구문: 사역동사 let은 뒤에 목적격 보어로 ❷ [   ] 가 온다.

해석: 그는 자신의 딸이 TV를 보도록 ❸ [   ] .

LINK WORKBOOK p.10

Unit 4

시제와 수동태

다양한 시제를 나타내는 동사의 형태와 동작의 대상이 주어로 쓰이는 수동태에 관해서 알아볼까요?

시제	현재, 과거, 미래 시제	They 그들은	looked at 보았다	the stars 별들을	in the sky. 하늘에 있는

	진행형과 완료형	He 그는	has decided 결심했다	to become an astronaut. 우주비행사가 되기로

수동태	수동태의 형태와 시제	The concert 공연이	will be held 열릴 것이다	next week. 다음 주에

	부정문, 의문문, 동사구의 수동태	This portrait 이 초상화는	was not painted 그려지지 않았다	by a famous painter. 유명한 화가에 의해서

01 현재, 과거, 미래 시제

① The Earth / **moves** / around the sun.
　　　　　　　현재시제: 진리

지구는 / 돈다 / 태양 주위를

② World War II / **ended** / in 1945.
　　　　　　　　과거시제: 역사적 사실

2차 세계대전은 / 끝났다 / 1945년에

- 현재시제는 변하지 않는 진리나 사실, 격언 또는 현재의 상태, 신분, 습관 등을 나타내며, '~한다/~이다'로 해석한다.
- 과거시제는 과거의 사실이나 동작, 상태, 습관 등을 나타내며, '~했다/~이었다'로 해석한다.
- 미래시제는 앞으로 일어날 일에 대한 예측이나 기대, 예정 등을 나타내며, '~할 것이다/~일 것이다'로 해석한다.

바로예문 영어와 우리말에서 시제를 나타내는 동사 찾기

1 I take a shower before going to bed every night.　　　나는 매일 밤 잠자리에 들기 전에 샤워를 한다.

2 They looked at the stars through a telescope.　　　그들은 망원경을 통해 별을 보았다.

3 The number of readers will increase in the near future.　　　가까운 미래에 독자 수가 증가할 것이다.

4 The singer will release her second album in April.　　　그 가수는 4월에 두 번째 앨범을 낼 것이다.

바로훈련 시제를 나타내는 동사에 밑줄을 긋고, 문장을 해석하시오.

5 Will you go fishing with me next Friday?

　》 _____

6 Paul bought a new laptop the day before yesterday.

　》 _____

7 I will tell you if I find any good examples of the problem.

　》 _____

8 James didn't come to the lecture last Monday.

　》 _____

9 My roommate always tidies up the stuff before leaving the room.

　》 _____

Words

telescope 망원경
release 발표하다
laptop 휴대용 컴퓨터
lecture 강의
tidy up ~을 정리하다
stuff 물건

02 진행형과 완료형

① My friends / **are practicing** / dancing / in the gym.
    _{현재진행형}

나의 친구들은 / 연습하고 있다 / 춤을 / 체육관에서

② She / **will have finished** / her assignment / by 4 p.m.
    _{미래완료형}

그녀는 / 마쳤을 것이다 / 그녀의 과제를 / 오후 4시쯤이면

- 진행형은 특정 시점에 진행 중인 동작을 나타내며, 현재진행(~하고 있다), 과거진행(~하고 있었다), 미래진행(~하고 있을 것이다)이 있다.
- 완료형은 특정 시점까지 동작의 완료(~했다), 계속(~해 왔다), 경험(~한 적이 있다) 등을 나타내며, 현재완료, 과거완료, 미래완료가 있다.

바로예문 영어와 우리말에서 시제를 나타내는 동사 찾기

1 What were you doing when I called you?   내가 전화했을 때 넌 뭐 하고 있었니?

2 It will be snowing when you get to the airport.   당신이 공항에 도착하면 눈이 내리고 있을 것이다.

3 Wendy has been to New York twice before.   예전에 Wendy는 뉴욕에 두 번 다녀온 적이 있다.

4 I had explained the situation before they asked.   나는 그들이 묻기 전에 상황을 설명했었다.

바로훈련 알맞은 시제 표현을 고르고, 문장을 해석하시오.

5 Have you ever gone / been to the beach near the East Sea?

» _____

6 Sandra studied / has studied law since she entered university.

» _____

7 He read the book which he bought / had bought two days before.

» _____

8 If I see the movie once more, I will see / have seen it three times.

» _____

9 My uncle is / will be harvesting the potatoes this coming fall.

» _____

Words

assignment 과제
explain 설명하다
law 법, 법학
harvest 수확하다
coming 다가오는

1 삿포로 눈 축제에 관해 다음 글의 내용과 일치하지 <u>않는</u> 것은?

The Sapporo Snow Festival **is** one of Japan's largest winter events. Every winter, about two million people come to Sapporo to see the beautiful snow statues and ice sculptures. It first **began** right after World War II. Since Japan **had been seriously damaged** by the war, Japanese citizens needed something to soothe their body and mind. Students in Sapporo started making snow sculptures at the park. Soon the festival was held, and more and more people took part in making snow sculptures. Since then, it **has grown** into a huge festival.

① 일본의 가장 큰 겨울 축제 중 하나이다.

② 해마다 약 2백만 명이 눈 동상과 얼음 조각을 만든다.

③ 2차 세계 대전 직후에 처음 시작되었다.

④ 전쟁의 상처를 달래기 위해 시작되었다.

⑤ 삿포로의 학생들이 눈 조각상을 만든 데서 시작되었다.

Words   statue (실물 크기의) 조각상   sculpture 조각   seriously 심각하게   damage 손상시키다   soothe (마음을) 달래다
hold 열다, 개최하다   take part in ~에 참가하다   huge 거대한

2 다음 글의 밑줄 친 부분 중, 어법상 어색한 것은?

When Mattie Stepanek was only six years old, he ① <u>has already written</u> several hundred

poems. At that time, he **was suffering** from a rare disease. One day, the Children's Wish

Foundation gave Mattie a computer. Since then, he ② <u>has been able to share</u> his poems

online. "Little Mattie ③ <u>has acquired</u> more wisdom in his short life than most of us do after

decades of living. Through his poetry, he ④ <u>expresses</u> wisdom in a way that touches

everybody's heart. Mattie **has inspired** many people to overcome every obstacle they ⑤ <u>may</u>

<u>face</u> and strive for their goals. Thank you, Mattie!" Jim Hawkins, Mattie's doctor, said as he

called Mattie a hero.

Words

several 몇몇의   suffer from ~으로 고통 받다   rare 드문   acquire 습득하다, 얻다   wisdom 지혜   decade 10년간
touch one's heart 가슴에 와 닿다   inspire 영감을 주다   overcome 극복하다   obstacle 장애   strive 노력하다, 애쓰다

03 수동태의 형태와 시제

① The song / **was sung** / by one of the best singers.
　　주어　　　　동사: 수동태 과거　　　　by+명사(구)

그 노래는 / 불러졌다 / 최고의 가수들 중 한 명에 의해

② The new bridge / **will have been completed** / in 2 years.
　　주어　　　　　　동사: 수동태 미래완료

그 새로운 다리는 / 완공되어 있을 것이다 / 2년 후에는

- 수동태는 문장의 목적어가 주어로 오면서 「be동사 + p.p.」의 형태가 되며 '(주어)가 (…에 의해) ~되다'로 해석한다.

	단순 시제	진행형	완료형
현재	am/is/are+p.p.	am/is/are being+p.p.	have/has been+p.p.
과거	was/were+p.p.	was/were being+p.p.	had been+p.p.
미래	will be+p.p.	will be being+p.p.	will have been+p.p.

바로예문 영어와 우리말에서 수동태 찾기

1　The pen was invented by a 10-year-old girl.　　　　그 펜은 열 살짜리 소녀에 의해 발명되었다.

2　The satellite will be launched in 2025.　　　　그 인공위성은 2025년에 발사될 것이다.

3　He is loved by everybody because he is friendly.　　그는 상냥해서 모든 사람들의 사랑을 받는다.

4　My bike is being repaired at the moment.　　　　내 자전거는 바로 지금 고쳐지고 있다.

바로훈련 수동태를 나타내는 부분에 밑줄을 긋고, 문장을 해석하시오.

5　The thief was being chased by the police.

»　_____

6　The book will be published next week.

»　_____

7　The spectators were very impressed by their play in the field.

»　_____

8　The trees have been grown for 10 years by my grandfather.

»　_____

9　The machine will have been fixed by the repairman in two hours.

»　_____

Words

satellite 인공위성
launch 발사하다
chase 뒤쫓다
publish 출판하다
spectator 관중
impress 감동을 주다
fix 수리하다

04 부정문, 의문문, 동사구의 수동태

① The difficult question / **was not solved** / by mathematicians.
　　　　주어　　　　　　　　　동사: 수동태 과거 (부정문)

어려운 문제는 / 해결되지 않았다 / 수학자들에 의해

② The dogs / **were looked after** / by Molly and her mother.
　　주어　　　　동사: 수동태 과거 (동사구)

개들은 / 돌봐졌다 / Molly와 그녀의 어머니에 의해

- 부정문의 수동태는 「be동사+not+p.p.」 형태로 만들고, 의문문의 수동태는 「(의문사+)be동사+주어+p.p. ~?」 형태로 나타낸다.
- 동사구의 수동태는 「동사+전치사/부사」의 동사구 전체를 하나의 동사처럼 수동태로 만든다.

바로예문 영어와 우리말에서 수동태 찾기

1 The mistake was not made by Harry.　　　　그 실수는 Harry에 의해 저질러지지 않았다.

2 By whom was the room cleaned this morning?　　오늘 아침 방은 누구에 의해 청소되었니?

3 The teapot is being filled with hot water.　　그 찻주전자는 뜨거운 물로 채워지고 있다.

4 The experiment was laughed at by people.　　그 실험은 사람들에게 비웃음 당했다.

바로훈련 알맞은 표현을 고르고, 문장을 해석하시오.

5 The weak boy was made   fun / fun of   by his classmates.

》 _____

6 Where was the automobile industry   starting / started ?

》 _____

7 What time   did / was   the train scheduled to arrive?

》 _____

8 Kate will not be   alarming / alarmed   by anything.

》 _____

9 The match   put off / was put off   because of the rain.

》 _____

Words

look after ~을 돌보다
laugh at ~을 비웃다
make fun of ~을 놀리다
industry 산업
schedule 일정을 잡다
alarm 놀라게 하다
put off 연기하다

3 주어진 글 다음에 이어질 글의 순서로 가장 알맞은 것은?

> In 1896, the first X-ray photograph was accidentally taken by a German scientist,
>
> Wilhelm Konrad Roentgen, while he was experimenting with electricity.

(A) His invention is still used every day by doctors and dentists. Since the introduction of

computer imaging in the 1970s, X-ray machines **have been used** for other things, too.

(B) In factories, many faults in new products **are found** every day using X-rays. At airports,

X-ray scanners can find illegal items without opening people's bags. There is no doubt

that new uses for X-rays **will be developed** in the future.

(C) It was of the bones in his wife's hand. Soon after he built the first X-ray machine,

hospital operations **were made** much safer. For the first time, doctors could see inside

people's bodies before they cut them open.

① (A) ― (C) ― (B)　　　② (B) ― (A) ― (C)　　　③ (B) ― (C) ― (A)

④ (C) ― (A) ― (B)　　　⑤ (C) ― (B) ― (A)

Words　accidentally 우연히　experiment 실험하다　electricity 전기　introduction 도입　fault 결함　illegal 불법의
no doubt ~이 확실하다　bone 뼈　operation 수술

4 다음 글의 밑줄 친 부분 중, 어법상 어색한 것은?

Few people ① <u>have never heard</u> of "Hollywood," a world famous name in the movie

industry. This district of Los Angeles has the well-known Hollywood sign. In fact, it is said

that this sign ② <u>was built</u> in 1923 by real estate agents and investor Harry Chandler for the

purpose of advertising. But at that stage they were not aware ③ <u>that</u> this construction would

become a legend in itself. At first, the sign ④ <u>used to read</u> "Hollywood Land." But in 1949,

"Land" **was gotten rid of** and only "Hollywood" remained. Today, the sign ⑤ <u>is taken care</u>

by an organization called "Hollywood Sign Trust," which was formed in the year 1995.

Words	district 지구, 지역　　real estate 부동산　　agent 대리인, 중개상　　investor 투자자　　advertising 광고
	aware 알고 있는　　construction 구조물　　legend 전설　　get rid of ~을 제거하다　　organization 단체

네모 안에서 알맞은 표현을 고르시오.

1 The country has / is having four beautiful seasons all year round.

2 When he got to the stop, the bus has / had just left.

3 Have you gone / been to the new amusement park?

4 The twins took / were taken good care of by their uncle.

5 He has been work / working in the theater for 10 years.

6 We will be taking / be taken a break on the beach in 12 hours.

7 The room has to tidy / to be tidied up immediately.

8 By whom was my favorite cup broken / breaking ?

 구문 분석 노트를 완성하시오.

1 Plants die without water.
　주어　동사: ❶　　　시제

구문: 변하지 않는 진리나 사실은 ❷ [   ] 를 쓴다.

해석: 식물은 물이 없으면 ❸ [   ].

2 It had rained a lot before you came here.
　주어　동사: 과거 ❶　　　과거시제

구문: ❷ [   ] 보다 앞서 일어난 일을 표현할 때 과거완료를 쓴다.

해석: 당신이 여기에 오기 전에 비가 많이 ❸ [   ].

3 The campaign was launched in 2002.
　주어　　동사: ❶　　수동태

구문: 행위의 대상(the campaign)이 ❷ [   ] 로 쓰였으므로 수동태로 나타낸다.

해석: 그 캠페인은 2002년에 ❸ [   ].

4 Yesterday I was spoken well of by my teacher.
　주어 ❶ 동사구의

구문: ❷ [   ] (speak well of)는 덩어리로 취급하여 수동태를 만든다.

해석: 나는 어제 선생님께 ❸ [   ] 받았다.

LINK WORKBOOK p.14

Unit 5

조동사

동사를 도와 여러 가지 뜻을 갖게 하는 조동사의 종류와 특징을 알아볼까요?

가능·허락·추측의 조동사	I	can memorize	every song of the group.
	나는	외울 수 있다	그 그룹의 모든 노래를

의무·충고·필요의 조동사	You	should knock	before you enter.
	당신은	노크해야 한다	들어오기 전에

기타 조동사	They	used to practice	dancing	every night.
	그들은	연습하곤 했다	춤을	매일 밤

조동사+ have p.p.	The actor	must have impressed	the audience.
	그 배우는	감동시켰음에 틀림없다	관객들을

01 가능·허락·추측의 조동사

① We / **can** go / to the movies / tonight.
  조동사(가능)+동사원형

우리는 / 갈 수 있다 / 영화 보러 / 오늘 밤에

② He / said / he / **might** go / to the gym / tomorrow.
  조동사(추측)+동사원형

그는 / 말했다 / 그가 / 갈지도 모른다고 / 체육관에 / 내일

- 조동사 can은 가능·능력을 나타내며 '~할 수 있다'로 해석한다. be able to와 바꿔 쓸 수 있다.
- 조동사 can과 may는 허락을 나타내어 '~해도 좋다'로 해석할 수 있다.
- may / might: 약한 추측(~일지 모른다), must: 강한 추측(~임에 틀림없다), cannot: 강한 부정의 추측(~일 리가 없다)

바로예문 영어와 우리말에서 「조동사+동사원형」 찾기

1 It may rain heavily in Seoul tomorrow. 내일 서울에 비가 많이 올지도 모른다.

2 The actor can memorize all his lines in the script. 그 배우는 대본에 있는 그의 대사를 모두 외울 수 있다.

3 Can you believe it weighs 82 kilograms? 이것이 82킬로그램이라는 것이 믿어지니?

4 She must be a genius with good hand skills. 그녀는 좋은 손재주를 가진 천재임에 틀림없다.

바로훈련 조동사에 밑줄을 긋고, 문장을 해석하시오.

5 He couldn't eat lunch today because he was busy working.

  » _____

6 It might be Tom who called us late last night.

  » _____

7 She must be tired because she worked all day.

  » _____

8 Rosa was able to play the flute when she was young.

  » _____

9 Jack may get upset if you tell him the truth.

  » _____

Words

heavily 심하게
memorize 암기하다
script 대본
weigh 무게가 나가다
genius 천재
flute 플루트

02 의무·충고·필요의 조동사

① You / **should** arrive / a few minutes / before the appointed time.
<u>조동사(의무) + 동사원형</u>

당신은 / 도착해야 한다 / 몇 분 전에 / 약속된 시간보다

② You / **must** have / a permit / to enter / the national park.
<u>조동사(강한 의무) + 동사원형</u>

당신은 / 있어야 한다 / 허가증이 / 들어가려면 / 국립공원에

- 조동사 should는 당연한 의무나 약한 충고를 나타내며 '~해야 한다'로 해석한다.
- 강한 의무나 필요를 나타낼 때에는 조동사 must, have to, need to를 사용하며, '~해야 한다'로 해석한다.

바로예문 영어와 우리말에서 「조동사 + 동사원형」 찾기

1 We have to pass a test before we get a driver's license.
운전면허를 따기 전에 시험을 통과해야 한다.

2 Drivers must follow the traffic rules.
운전자들은 교통 규칙을 지켜야 한다.

3 I need to copy this document for the meeting.
나는 회의를 위해 이 서류를 복사해야 한다.

4 We should be thankful for her support.
우리는 그녀의 지원에 감사해야 한다.

 바로훈련 알맞은 조동사를 고르고, 문장을 해석하시오.

5 We should / ought stand in line when we get on the bus.

» _____

6 People with high cholesterol need / need to eat low-fat foods.

» _____

7 He have / has to wear a red shirt to cheer for the team.

» _____

8 You don't must / have to bring lunch to the field trip.

» _____

9 You must not / don't have to swim here because the river is deep.

» _____

Words

appointed 정해진
permit 허가증
driver's license
운전 면허증
cholesterol 콜레스테롤
low-fat 저지방의
field trip 소풍

1 다음 빈칸에 공통으로 들어갈 말로 가장 알맞은 것은?

Until three years ago, Alex was an engineering student. But he found it boring and decided to change careers. He has always loved children, and now he is a qualified male nanny to 18-month-old Jack. But he has had some problems. "There is _____. A lot of people don't think that a man **can** look after a child as well as a woman. Or they think I **must** be a strange man. Some nanny agencies didn't want me at all," he said. "Some parents didn't want a man looking after their children. I **had to** wait nearly a year for my first job."

But he likes his new career and has some advice for other men who want to work in childcare. "You **should** go for it! Ignore the _____!"

① curiosity   ② prejudice   ③ unfairness

④ regulation   ⑤ indifference

Words   career 직업   qualified 자격을 갖춘, 적임자의   nanny 보모, 아기 돌보는 사람   look after ~을 돌보다   agency 대행업체, 소개소
ignore 무시하다   regulation 규정, 규제   indifference 무관심

2 빈칸 (A)와 (B)에 알맞은 표현끼리 바르게 짝지은 것은?

At what age **should** a child learn to use a computer? The answer seems to depend on whom you ask. Some early childhood educators say, "the earlier, the better." They believe that in modern society, computer skills are a basic necessity just like reading and counting and therefore, children (A) _____ start using and playing with computers. But other educators believe computers **may** have a negative effect on the mental and physical development of children. They say children do not use their imagination enough because the computer screen shows them everything. Also, a child who plays alone on a computer (B) _____ learn how to interact with other children.

(A)	(B)		(A)	(B)
① would	⋯ must not		② should	⋯ may not
③ would	⋯ may not		④ should	⋯ need not
⑤ would	⋯ need not			

Words   depend on ~에 달려 있다   childhood 어린 시절   educator 교육자   modern 현대의   necessity 필수품
counting 계산   negative 부정적인   imagination 상상력   interact with ~와 상호작용을 하다

03 기타 조동사

① He / **used to** swim / in the stream near his house.
조동사(과거의 규칙적 습관) + 동사원형
그는 / 수영을 하곤 했다 / 집 근처의 개울에서

② You / **had better** see / a doctor / as soon as you can.
조동사(충고) + 동사원형
당신은 / 진찰을 받아보는 게 낫다 / 의사의 / 가능한 한 빨리

- 조동사 would와 used to는 과거의 습관을 나타내며 '~하곤 했다'로 해석한다.
- had better는 충고를 나타내며 '~하는 것이 낫다'로 해석한다.
- 「would rather + 동사원형 ~ (than + 동사원형)」은 선호를 나타내며 '(…하는 것보다) ~하는 것이 좋다'로 해석한다.

바로예문 영어와 우리말에서 「조동사 + 동사원형」 찾기

1 You had better start planning the trip now.
당신은 지금 여행을 계획하기 시작하는 게 낫다.

2 She used to climb the mountain every Sunday.
그녀는 일요일마다 그 산에 오르곤 했다.

3 I would rather stay at home than go to the movies.
난 영화 보러 가는 것보다 집에 있는 게 더 낫겠다.

4 He would give the children candies to please them.
그는 아이들을 즐겁게 하려고 그들에게 사탕을 주곤 했다.

바로훈련 조동사에 밑줄을 긋고, 문장을 해석하시오.

5 There used to be a tall tree in front of the library.

» _____

6 You had better not take a bath when you have a cold.

» _____

7 I would rather do it on my own than rely on others.

» _____

8 When my sister was in high school, she would travel by train.

» _____

9 You had better unplug the toaster before you try to clean it.

» _____

Words
stream 개울
on one's own 혼자서, 자력으로
rely on ~에 기대다
unplug 플러그를 뽑다

04 조동사 + have p.p.

① Tony / **should have been** more careful / with his speech.
<u>과거에 대한 후회</u>

Tony는 / 더 조심했어야 했는데 / 자신의 연설에

② She / **may have gotten** up / late / this morning.
<u>과거에 대한 추측</u>

그녀는 / 일어났을지도 모른다 / 늦게 / 오늘 아침에

- should[ought to] have p.p.: 과거에 대한 후회(~했어야 했는데)
- must have p.p.: 과거에 대한 강한 추측(~했음에 틀림없다)
- cannot have p.p.: 과거에 대한 강한 부정의 추측(~했을 리가 없다)
- may[might] have p.p.: 과거에 대한 막연한 추측(~했을지도 모른다)

 영어와 우리말에서 「조동사 + have p.p.」 찾기

1 My sister <u>must have been</u> in the shopping mall then. 나의 언니는 그 때 쇼핑몰에 <u>있었던 게 틀림없다.</u>

2 She cannot have painted this picture alone. 그녀가 혼자서 이 그림을 그렸을 리가 없다.

3 You should have listened to your friends. 당신은 친구들의 말을 들었어야 했다.

4 He might have forgotten the appointment. 그는 약속을 잊어버렸을지도 모른다.

 밑줄 친 부분에 유의하여 문장을 해석하시오.

5 He <u>shouldn't have entered</u> the room without permission.

   » _____

6 It <u>must have taken</u> lots of time to complete the recording.

   » _____

7 I <u>should have read</u> more books when I was younger.

   » _____

8 The file <u>may have been deleted</u> after the accident.

   » _____

9 She <u>cannot have done</u> such a thing at the meeting.

   » _____

Words

appointment 약속
permission 허락
recording 녹음
delete 삭제하다

3 다음 글을 읽고 밑줄 친 우리말을 괄호 안의 단어를 배열하여 완성하시오.

One day two frogs fell into a very deep hole. They tried to get out, but had no success.

So, they began to shout until other frogs heard them and came to help. The other frogs

looked over into the hole and said it was too deep to help. But both frogs kept jumping up

for hours. The other frogs kept shouting, "You **would rather** give up. There is no hope!" One

of the two frogs gave up and died. The other didn't stop jumping. Finally the frog jumped so

high that he **was able to** get out of the hole. He thanked the other frogs for cheering him on

— they didn't know that this frog was deaf! Sometimes, 우리는 못 들은 척 하는 것이 좋다 (we,

better, to, a deaf ear, turn, had) what others tell us.

⇨ _____

Words   hole 구멍   look over ~을 살펴보다   give up 포기하다   cheer on 격려하다, 응원하다   deaf 귀가 들리지 않는

4 다음 글의 주제로 가장 알맞은 것은?

Scientists tell us that our earliest ancestors had no language and they couldn't read and write. Then how did they express their thoughts and share ideas with others? They probably made noises that meant something. A growl **might have meant** anger. A screech might have meant danger. A grunt might have meant food. They probably used body gestures and made faces that meant things, too. They might have nodded or shaken their heads to mean "yes" or "no." They might have pointed to something with their fingers. However, they couldn't have expressed all their thoughts on an unlimited number of topics such as the weather and how to hunt animals. So they **must have developed** other ways to better communicate with each other.

① how language started

② why people use body language

③ how people express their emotions

④ what our ancestors usually talked about

⑤ how our ancestors communicated with each other

Words　ancestor (사람의) 조상, 선조　growl 으르렁거리는 소리　screech 꽥 하는 소리　grunt 꿍 앓는 소리　nod (고개를) 끄덕이다
shake (고개를) 젓다　unlimited 무제한의　hunt 사냥하다

네모 안에서 알맞은 표현을 고르시오.

1 He may / could not get enough sleep because he was so busy.

2 She may / had to forgive you if you politely apologize to her.

3 I think we had better / would change the subject.

4 There must / used to be a small bookstore here when I was young.

5 You shouldn't / wouldn't enter the room without permission.

6 It must / can have taken lots of time to complete the building.

7 I would better / rather stay home than hang out with them.

8 We should / would have called the police last night.

 구문 분석 노트를 완성하시오.

1 We can go to the concert this Saturday.
   주어 ❶ └─동사원형

   구문: can은 ❷ _____ 을 나타낸다.
   해석: 우리는 이번 토요일에 콘서트에 ❸ _____ .

2 Workers must follow the safety rules.
   주어 ❶ └─동사원형

   구문: must는 ❷ _____ 를 나타낸다.
   해석: 작업자들은 안전규칙을 ❷ _____ .

3 You had better start doing yoga.
   주어 조동사 ❶

   구문: had better는 ❷ _____ 를 나타낸다.
   해석: 당신은 요가를 시작하는 것이 ❸ _____ .

4 She should have changed the password.
   주어 조동사 ❶

   구문: should have p.p.는 과거에 하지 않은 일에 대한 ❷ _____ 를 나타낸다.
   해석: 그녀는 비밀번호를 ❸ _____ 했다.

LINK › WORKBOOK p.18

Unit 6

형용사 역할을 하는 어구

형용사처럼 명사를 수식하는 여러 가지 표현과 주의해야 할 형용사에 대해 알아볼까요?

to부정사	I 나는	needed 필요했다	a friend 친구가	to share my concern. 나의 고민을 나눌

전치사구	They 그들은	sat 앉았다	under the tree 나무 아래에	with yellow leaves. 노란 잎이 달린

분사	Judy Judy는	found 발견했다	the kids 아이들을	dancing 춤추는	over there. 저기에서

주의해야 할 형용사	I 나는	wanted 원했다	to get 얻기를	a little 약간의	fresh air. 신선한 공기

01 to부정사

① I / bought / a magazine / **to read on the train**.

나는 / 샀다 / 잡지를 / 기차에서 읽을

② The family / needed / a bigger house / **to live in**.

그 가족은 / 필요로 했다 / 더 큰 집을 / 살

- to부정사가 명사 뒤에 위치하여 앞의 명사를 수식할 때 '~하는/~할'이라는 의미를 갖는다.
- 수식을 받는 명사는 to부정사와 의미상 주어, 목적어, 전치사의 목적어 관계이거나, 동격 관계를 이룬다.

바로예문 영어와 우리말에서 밑줄 친 명사를 수식하는 말 찾기

1 The singer announced her desire to retire.
그 가수는 은퇴할 바람을 발표했다.

2 Lucy was the first guest to come to the party.
Lucy는 파티에 온 첫 손님이었다.

3 He needs some friends to play basketball with.
그는 함께 농구를 할 몇 명의 친구가 필요하다.

4 It is time to start the show.
공연을 시작할 시간이다.

바로훈련 명사를 수식하는 to부정사구에 밑줄을 긋고, 문장을 해석하시오.

5 He has many friends to share his concern.

» _____

6 I have no pen to write with, and no paper to write on.

» _____

7 There was no place to hide in the basement.

» _____

8 My father made a promise to buy me a new bike for my birthday.

» _____

9 Can you think of a better way to end the conflict?

» _____

Words

desire 욕구, 갈망
retire 은퇴하다
concern 우려, 걱정
basement 지하실
conflict 갈등, 분쟁

02 전치사구

① He / went to New York / to study / the art **of medicine**.

그는 / 뉴욕에 갔다 / 배우기 위해 / 의학의 기술을

② No one **in my class** / is / taller / than Laura.

우리 반의 어느 누구도 ~않다 / 키가 더 큰 / Laura보다

- 「전치사＋명사/대명사」로 된 전치사구가 앞에 있는 명사를 수식한다. 전치사구는 전치사에 따라 그 의미를 살려 해석한다.
- of(~의), on/in/at(~에 있는), with(~을 가진), from(~으로부터), about/on(~에 관한), between(~사이에)

바로예문 영어와 우리말에서 밑줄 친 명사를 수식하는 말 찾기

1 Not Sydney but Canberra is the capital of Australia.   시드니가 아니라 캔버라가 호주의 수도이다.

2 Her stay in London last week was wonderful.   그녀의 지난 주 런던에서의 체류는 정말 멋졌다.

3 The girl with long, straight hair is my sister.   긴 생머리를 가진 소녀가 내 여동생이다.

4 My brother bought some books about time travel.   나의 형은 시간여행에 관한 책을 몇 권 샀다.

바로훈련 알맞은 전치사를 고르고, 문장을 해석하시오.

5 The price of / in that coat is higher than that of my bike.

≫ _____

6 Some sites with / on the Internet are useful for studying English.

≫ _____

7 He read the news with / on the earthquake in the newspaper.

≫ _____

8 My little sister wanted to buy a book in / with interesting pictures.

≫ _____

9 What is the problem between / on you and your father?

≫ _____

Words

art 기술
capital 수도
straight hair 생머리
earthquake 지진

1 Vitamin C에 대한 설명으로 다음 글의 내용과 일치하지 <u>않는</u> 것은?

Vitamin C is probably the most popular vitamin **for people to take**. Doctors say people

only need 60 milligrams of vitamin C per day, and people can easily get this from normal

foods. But many people still take vitamin C supplements. They believe that vitamin C can

help prevent disease or even cure colds. But these positive effects of vitamin C have never

been proven in research. Vitamin C is necessary for good health, but too much vitamin C

can actually cause problems. People who take large amounts of this vitamin may suffer from

diarrhea. Also, chewing vitamin C tablets can damage the enamel on teeth. Therefore, just

eat a lot of fresh fruits and vegetables. That's the best way **to get enough vitamin C**.

① 하루 권장량은 60밀리그램이다.

② 감기를 낫게 해 준다.

③ 지나치게 섭취하면 설사를 할 수도 있다.

④ 알약은 치아를 손상시킬 수 있다.

⑤ 신선한 과일과 채소만으로 충분히 섭취할 수 있다.

Words per ~당[마다]   supplement 보충제   prevent 예방하다   cure 치료하다   prove 증명하다   actually 실제로
suffer from ~으로 고통 받다   diarrhea 설사   tablet 동그란 모양의 약제   enamel (치아의) 표면층, 에나멜질

2 다음 글의 제목으로 가장 알맞은 것은?

The aye-aye is one of the most unusual animals in Madagascar. It has round and glowing eyes, spoon-like ears, and a long, thin middle finger. It is also endangered like many other animals because its home, the forests **of Madagascar**, has been destroyed for sugar cane and coconut plantations. The aye-aye is becoming a pest to farmers because they attack plantations and steal food **in villages**. Besides, to the Malagasy people, the aye-aye is magical and is believed to be a symbol of death. So it is killed on sight. Malagasy law prohibits the killing of the aye-aye. However, this law unfortunately cannot easily change people's prejudices.

① The World's Unusual Animals

② The Dangerous Aye-aye

③ The Endangered Aye-aye

④ The Environment of Madagascar

⑤ How to Change People's Prejudices

Words unusual 특이한, 흔치 않은 glowing 이글거리는 endangered 멸종 위기에 처한 destroy 파괴하다 sugar cane 사탕수수
plantation (특히 열대지방의) 대농장 pest 유해동물 on sight 발견하는 대로 prohibit 금지하다 prejudice 편견

03 분사

① You / had better not wake up / the **sleeping** dogs!

당신은 / 깨우지 않는 게 좋을 것이다 / 그 잠자고 있는 개들을

② The tower **built in 1894** / was moved / to another place.

1894년에 건설된 그 탑은 / 이전되었다 / 다른 장소로

- 현재분사와 과거분사는 명사의 앞이나 뒤에 쓰여 형용사와 같은 역할을 한다. 분사가 단독으로 쓰이면 명사 앞에서 수식하고, 분사구일 때는 뒤에서 수식한다.
- 현재분사는 능동·진행의 의미를 나타내며 '~하고 있는'으로 해석하고, 과거분사는 수동·완료의 의미를 나타내며 '~된/~해진'으로 해석한다.

바로예문 영어와 우리말에서 밑줄 친 명사를 수식하는 말 찾기

1 The girl dancing on the stage was my younger sister.

무대에서 춤추는 소녀는 내 여동생이었다.

2 You can watch a group of swimming dolphins.

당신은 한 무리의 헤엄치고 있는 돌고래를 볼 수 있다.

3 A person invited to the party has to dress up.

파티에 초대받은 사람은 옷을 차려 입어야 한다.

4 Kate called a repairperson to fix the broken toilet.

Kate는 고장 난 변기를 고치기 위해 수리공을 불렀다.

바로훈련 명사를 수식하는 분사(구)에 밑줄을 긋고, 문장을 해석하시오.

5 Look at the people standing in line in the hot weather.

  ≫ _____

6 He liked seeing the movies directed by Christopher Nolan.

  ≫ _____

7 Cook the pasta in the boiling water for 10 minutes.

  ≫ _____

8 The injured marathon runner kept running to the finish line.

  ≫ _____

9 Scientists studying the planets discovered some volcanoes on Mars.

  ≫ _____

Words
dress up 옷을 차려 입다
stand in line
일렬로 나란히 서다
direct 감독하다
injured 부상을 입은, 다친
volcano 화산

04 주의해야 할 형용사

① Too **many** cooks / spoil / the broth.
　　　　└───────┘↑ 셀 수 있는 명사

너무 많은 요리사가 / 망친다 / 수프를 (=사공이 많으면 배가 산으로 간다.)

② There is / **little** difference / between the twins.
　　　　　　└──────┘↑ 셀 수 없는 명사

있다 / 다른 점이 거의 없는 / 그 쌍둥이 사이에는

- many와 much는 둘 다 '많은'을 뜻한다. many는 셀 수 있는 명사, much는 셀 수 없는 명사를 수식한다.
- few와 little은 둘 다 '거의 없는'을 뜻한다. few는 셀 수 있는 명사, little은 셀 수 없는 명사를 수식한다.
- some과 any는 둘 다 '약간의'라는 의미로 쓰인다. some은 긍정문에, any는 부정문·의문문·조건문에 쓰인다.

바로예문 | 영어와 우리말에서 밑줄 친 명사를 수식하는 말 찾기

1 There was much rain in my town last year.　　작년에 우리 마을에는 비가 많이 왔다.

2 He made few mistakes on the test.　　그는 시험에서 실수를 거의 하지 않았다.

3 If you have any questions, raise your hand.　　질문이 좀 있으시면, 손을 들어 주세요.

4 He put some coins into the vending machine.　　그는 동전 몇 개를 자동판매기에 넣었다.

바로훈련 | 알맞은 형용사를 고르고, 문장을 해석하시오.

5 I don't have many / much money so I can't afford that right now.

》 _____

6 You may pick as many / much flowers as you like.

》 _____

7 I had few / little friends to talk with, so I felt sad.

》 _____

8 Unfortunately, there is few / little hope of his recovery.

》 _____

9 Any / Some people lose their appetite when they are busy.

》 _____

Words

spoil 망치다
broth 수프
afford ~할 여유가 되다
unfortunately 불행히도
appetite 입맛

3 다음 글의 분위기로 가장 알맞은 것은?

At the Seattle Special Olympics, nine contestants, **all physically or mentally disabled**,

stood at the starting line for the 100-yard dash. At gunshot, they all started running—

except one little boy who was stumbling on the asphalt, tumbling twice and crying loudly.

The other eight heard the boy cry. They slowed down and looked back. Then they all turned

around and went back. One girl **with Down's syndrome** bent down and kissed him saying,

"This will make it better." Then all nine linked arms and walked together to the finish line.

Everyone in the stadium stood, and the cheering went on for several minutes.

* Down's syndrome 다운증후군

① sad   ② busy

③ boring   ④ touching

⑤ festive

Words   contestant 참가자   disabled 장애를 가진   dash 단거리 경주   stumble 발이 걸리다   tumble 뒹굴다
turn around 돌다, 뒤돌아 보다   bend down 몸을 굽히다   link 연결하다   cheering 환호, 갈채

4

다음 글의 주제로 가장 알맞은 것은?

Why can't we see colors in the dark? The key factor is light from the sun, and it is called

white light. But, as Newton was the first **to show**, white light is really a mixture of the light of

all colors. These colors are present in sunlight. Color is determined by the wavelength of the

light. Most of the colors we see are not of a single wavelength, but are mixtures of **many**

wavelengths. When white light falls on an object, **some** wavelengths are reflected, and the rest

are absorbed by the material. A piece of red cloth, for example, absorbs almost all wavelengths

except a certain range of red ones. These are the only ones that are reflected in your eyes, so

you see the cloth as red. So color is a quality of light. It does not exist apart from light.

① the different wavelengths of light   ② the reason why white light is formed

③ the basic quality of sunlight   ④ the fundamentals of how we see colors

⑤ the relation between light and wavelengths

Words factor 요인, 원인   mixture 혼합체   determine 결정하다   wavelength 파장   reflect 반사하다, 반영하다   absorb 흡수하다
material 물질, 재료   range 범위   quality 성질, 속성   apart from ~을 제외하고   fundamental 기본, 원리

네모 안에서 알맞은 표현을 고르시오.

1 I had a little / a few questions about him.

2 There was nobody cook / to cook in the house.

3 The color of / in that shirt is brighter than that of mine.

4 He read the news with / on the flood in the newspaper.

5 She called the police to find her stealing / stolen bike.

6 You can enjoy as many / much chocolate as you like.

7 Please give me something sweet to eat / eating on the train.

8 There were many young people to surf / surfing on the sea.

구문 분석 노트를 완성하시오.

1 He has a lot of work to do tonight.
　주어　동사　❶

구문: to부정사구가 앞의 명사 ❷ [   ] 를 수식한다.
해석: 그는 오늘밤 ❸ [   ] 이 많다.

2 The cat with a short tail lives in Jason's
　　❶　　　　　　　　동사
house.

구문: with가 이끄는 ❷ [   ] 가 앞의 명사 cat을 수식한다.
해석: ❸ [   ] 그 고양이는 Jason의 집에 산다.

3 She likes to eat boiled eggs for breakfast.
　주어　동사　　　　❶

구문: ❷ [   ] boiled가 명사 eggs를 앞에서 수식한다.
해석: 그녀는 아침으로 ❸ [   ] 먹기를 좋아한다.

4 There is little possibility of his success.
　　　동사　　　❶

구문: 셀 수 ❷ [   ] 명사 possibility 앞에서 형용사 little이 수식한다.
해석: 그가 성공할 가능성이 ❸ [   ] .

LINK> WORKBOOK p. 22

Unit 7

관계사

관계사절은 문장에서 앞에 오는 명사를 꾸며 주거나 부연 설명하는 역할을 해요.

관계 대명사	Look at 보아라	the boy 그 소년을	who is sitting over there. 저쪽에 앉아 있는

관계 부사	This 이것은	is 이다	the reason 이유	why they are busy. 그들이 바쁜

계속적 용법의 관계사	He 그는	bought 샀는데	a doll house, 인형의 집을	which was made of wood. 그것은 나무로 만들어졌다

복합 관계사	Wherever you go, 당신이 어디에 가든지	I 나는	hope 희망한다	you are happy. 당신이 행복하기를

01 관계대명사

① Look at / the man and his dog / **that are running over there**.
　　　　　　 선행사 ←──────────────────→ 주격 관계대명사절

봐라 / 그 남자와 그의 개를 / 저쪽에서 뛰고 있는

② My mom / didn't like / the man / **(whom) I met at the art museum**.
　　　　　　　　　　　　 선행사 ←──────────────→ 목적격 관계대명사절

우리 엄마는 / 좋아하지 않으셨다 / 그 남자를 / 내가 미술관에서 만났던

- who(m), which, that 등이 이끄는 관계대명사절은 형용사절로서 앞에 있는 명사를 수식하며, '~하는/~인'으로 해석한다.
- 목적격 관계대명사와 「관계대명사+be동사」는 생략이 가능하다.

바로예문 영어와 우리말에서 밑줄 친 명사를 수식하는 말 찾기

1 He interviewed the writer who was very shy.　　그는 매우 수줍어하는 작가를 인터뷰했다.

2 I downloaded the app which was for free.　　나는 무료 앱을 다운로드했다.

3 She didn't read the book (that) I bought her.　　그녀는 내가 사 준 책을 읽지 않았다.

4 Try the cookies (which were) baked by John.　　John이 구운 과자를 먹어 봐.

바로훈련 관계대명사절에 밑줄을 긋고, 문장을 해석하시오.

5 The woman is a singer who is famous for her unique fashion style.

　≫ _____

6 The bike which my brother had lost was found by the lake.

　≫ _____

7 I'll lend you the dress that my mother made me last year.

　≫ _____

8 I haven't yet seen the movie that all my friends talked about.

　≫ _____

9 The hospital is looking for someone whose blood type is B.

　≫ _____

Words

shy 수줍어하는
download
(데이터)를 내려받다.
for free 무료로
unique 독특한
blood type 혈액형

02 관계부사

① I / often visit / the office / **where my mother works**.
　　　　　　　　　선행사　　　　　　관계부사절

나는 / 종종 방문한다 / 사무실에 / 엄마가 일하시는

② This / is / the way / **in which he got there on time**.
　　　　　　선행사　　「전치사 + 관계대명사」절

이것은 / 이다 / 방법 / 그가 그곳에 제시간에 도착한

- 관계부사가 이끄는 관계부사절은 앞에 있는 명사를 수식하며, '~하는/~한'으로 해석한다. 선행하는 명사에 따라서 where(장소), when(시간), why(이유), how(방법)가 쓰인다.
- 관계부사 대신 「전치사+관계대명사」로 나타낼 수 있다. 특히 관계부사 how와 선행사 the way는 함께 쓰이지 않는다.

바로예문 영어와 우리말에서 밑줄 친 명사를 수식하는 말 찾기

1 This is the reason why they parted from each other.　　이게 그들이 서로 헤어진 이유이다.

2 I can't remember the place at which I met you first.　　나는 당신을 처음 만난 장소가 기억나지 않는다.

3 June 10 is the day when my parents got married.　　6월 10일은 우리 부모님이 결혼하신 날이다.

4 This is the way in which he got out of the maze.　　이것이 그가 미로를 빠져나온 방법이다.

바로훈련 알맞은 표현을 고르고, 문장을 해석하시오.

5 There are times　when / where　people need to be alone.

》 _____

6 I don't know the reason　how / why　she was absent yesterday.

》 _____

7 He taught me the way　in / for　which he pronounced "r" and "l."

》 _____

8 This is the souvenir shop　where / why　I bought the painting.

》 _____

9 Fred remembers the day　on / at　which he moved here.

》 _____

Words
part from ~와 헤어지다
maze 미로
pronounce 발음하다
souvenir shop
기념품 가게

1 다음 글의 밑줄 친 that 중, 생략할 수 있는 것은?

There are some ways to increase the food supply. One of them is by using chemicals

① **that help produce bigger and stronger crops**. The most common types of chemicals

② **that** farmers use are fertilizers, herbicides, and pesticides. Fertilizers add nutrients to the

soil to help plants grow. Herbicides kill weeds. Pesticides kill insects ③ that harm plants.

Chemicals help grow food and get rid of harmful insects and weeds, but they can hurt the

environment if used carelessly or incorrectly. Certain pesticides, for example, may also kill

insects ④ **that do not harm crops** or may hurt animals ⑤ **that eat the poisoned insects**.

So we should be careful when using chemicals in farming and find other ways, like adding

insect's natural predators to fields.

* herbicides 제초제 ** pesticides 살충제

Words increase 늘리다   supply 공급(량)   chemical 화학물질   crop (농)작물   fertilizer 비료   nutrient 영양분   soil 토양
get rid of ~을 제거하다   insect 곤충   carelessly 부주의하게   incorrectly 부정확하게   predator 포식자

2 다음 글의 빈칸에 들어갈 말로 가장 알맞은 것은?

Scientists say when we experience something, brain cells transform the information into images. Then these images are sent to an area of the brain **where they can be processed**.

These images first remain in our short-term memory. Some of them are moved to our long-term memory, while the remaining short-term memory fades away. But how this process happens is a mystery. According to some research, food and sleep can influence this process. Vitamin E helps you with remembering. And after a good night's sleep, you will remember things more clearly. Do you want to have a good memory? Then keep off fast food and _____.

① do not stay up late　　　　　② take up some exercise

③ do not eat too much　　　　　④ get up early in the morning

⑤ experience something memorable

Words　cell 세포　transform 변형시키다　process 처리하다, 과정　remain 남아 있다　memory 기억력　fade away 사라지다
influence 영향을 주다　keep off (음식물을) 입에 대지 않다　take up 시작하다　memorable 기억할만한

03 계속적 용법의 관계사

① He / gave / me / the letter, / **which was in a blue envelope**.
<u>선행사</u>   관계대명사절 (= and it was in a blue envelope)

그는 / 주었다 / 나에게 / 그 편지를 / 그것은 파란 봉투에 들어있었다

② I / was walking / on the street / at 8 p.m., / **when the accident happened**.
              선행사   관계부사절 (= and then the accident happened)

나는 / 걷고 있었다 / 거리를 / 밤 8시에 / 그때 사고가 났다

- 계속적 용법으로 쓰인 관계대명사절은 「접속사＋대명사」의 의미로 앞에 있는 명사를 부연 설명하며, 주로 '~하는데, (대명사)는' 으로 해석한다. 관계대명사 that은 계속적 용법으로 쓰지 않는다.
- when과 where가 이끄는 관계부사절도 계속적 용법으로 쓰인다. 이때 관계부사는 「접속사＋부사」의 의미를 나타내어, when은 and then으로, where는 and there로 바꿀 수 있다.

바로 예문 영어와 우리말에서 밑줄 친 말을 부연 설명하는 표현 찾기

1 That is <u>Tom Smith</u>, <u>who is my favorite singer</u>.   이 사람은 <u>Tom Smith</u>인데, <u>내가 제일 좋아하는 가수이다</u>.

2 <u>My lunch</u>, which I made in 3 minutes, was very tasty.   내 <u>점심은</u> 내가 3분 만에 만들었는데, 아주 맛있었다.

3 Alice went to <u>London</u>, where she stayed for a month.   Alice는 <u>런던에</u> 가서, 거기에 한 달 동안 머물렀다.

4 Call me at <u>around 7 p.m.</u>, when I will be at home.   <u>7시쯤</u> 내게 전화해줘, 그때는 내가 집에 있을 테니.

바로 훈련 관계사절에 밑줄을 긋고, 문장을 해석하시오.

5 I've never been to Beijing, where my uncle lives.

   » _____

6 The exam was delayed, which means I have more time to study.

   » _____

7 Sam, who is an excellent cook, is planning to open his own restaurant.

   » _____

8 In 2005, when the hurricane hit the town, my sister was born.

   » _____

9 Mr. Robinson, whom I met at the trade fair, is a famous interpreter.

   » _____

Words
envelope 봉투
accident 사고
delay 미루다, 연기하다
trade fair 무역 박람회
interpreter 통역사

04 복합관계사

① My mom / likes / **whatever I cook for her**.

= anything that I cook for her

우리 엄마는 / 좋아하신다 / 내가 요리해드리는 것은 무엇이든

② **Wherever you may go**, / don't forget / us.

= no matter where you may go

당신이 어디를 가든지 간에 / 잊지 말아라 / 우리를

- 복합관계대명사: whoever(~하는 누구나 / 누가 ~하더라도), whatever(~하는 무엇이나 / 무엇을 ~하더라도),
  whichever(~하는 어느 것이나 / 어느 것을 ~하더라도)
- 복합관계부사: whenever(~할 때는 언제나 / 언제 ~해도), wherever(~하는 어디든 / 어디에서 ~해도), however(아무리
  ~할지라도)

바로예문 영어와 우리말에서 복합관계사절 찾기

1 Whenever it rains this summer, it pours.

올 여름에는 비가 올 때마다 퍼붓는다.

2 He has never doubted whatever I said to him.

그는 내가 그에게 말한 것은 무엇이든 의심한 적이 없다.

3 Whichever you choose, I'll support you.

당신이 무엇을 선택하든 나는 당신을 지지할 것이다.

4 However rich he may be, he can't buy love.

그가 아무리 부유할지라도 사랑을 살 수는 없다.

바로훈련 알맞은 복합관계사를 고르고, 문장을 해석하시오.

5   Whenever / Whoever I see him, I think of his brother.

≫ _____

6   Whatever / However young she may be, we have to listen to her.

≫ _____

7 The company will hire whoever / whatever is the most qualified.

≫ _____

8 The kid followed his dad whenever / wherever he went.

≫ _____

9   Whoever / Whatever I receive on my birthday, I will be happy.

≫ _____

Words

pour (비가) 마구 쏟아지다
hire 고용하다
qualified 자격이 있는
follow 따라가다

3 다음 글에서 전체 흐름과 관련이 없는 문장은?

Do you know how we tell the difference between a shark and a whale? The biggest difference is that a whale is a mammal and a shark is a fish. That is, a whale gives birth to live young while a shark lays eggs. ① Also, a whale, like other mammals, moves its tail up and down when it swims. ② On the other hand, a shark is a fish, so it moves its tail left and right as it swims. ③ Whales **whose body length is less than 4 meters** are usually classified as dolphins. ④ Unlike a shark, **whose sense of smell is very good**, a whale does not have a good sense of smell. ⑤ As a matter of fact, whales use their nostrils mostly just to breathe.

Words mammal 포유동물 give birth to ~을 낳다 live 살아 있는 young (동물의) 새끼 lay (알을) 낳다 classify 분류하다
unlike ~와 달리 as a matter of fact 사실은 nostril 콧구멍 mostly 대부분

4 글의 흐름으로 보아, 주어진 문장이 들어가기에 가장 알맞은 곳은?

Even though it's a very natural process, excessive burping should be viewed with concern.

A burp is a very natural process **in which air comes out through the mouth**. (①)

Whenever we eat or drink, we swallow some amount of air along with our food. (②) Our

stomach already has air in it from bacteria that produce gas and from chemical reactions

caused by digestive enzymes. (③) When there is too much air to fit in our stomach, some

air comes out through the mouth, resulting in a burp. (④) Anxiety and emotional

disturbances cause a dry mouth, with frequent swallowing of saliva. This can cause excessive

burping. (⑤) Also, the same occurs while chewing gum.

* saliva 침, 타액

Words excessive 과도한, 지나친 burp 트림하다, 트림 swallow 삼키다 reaction 반응 digestive enzyme 소화 효소
result in (결과적으로) ~을 야기하다 anxiety 불안(감) disturbance 장애, 방해 frequent 잦은 occur 일어나다, 발생하다

네모 안에서 알맞은 표현을 고르시오.

1 The pen which / who I had lost was found under my desk.

2 Karl, who / whose dog is missing, is sick in bed now.

3 I don't know the reason in / for which she was so angry.

4 Ted remembers the place where / when he first met her.

5 Whenever / Whoever I see carrots, I think of rabbits.

6 A prize will be given to whatever / whoever solves the quiz.

7 She has two friends who / whose always fight with each other.

8 Cindy did really well on exams, which / that was a big surprise.

 구문 분석 노트를 완성하시오.

1 I met the traveler who looked so tired.
　　　　선행사　　　　❶　　　　절

구문: who 이하는 명사 ❷ _____ 를 수식한다.
해석: 나는 매우 지쳐 보이는 ❸ _____ 을 만났다.

2 This is the reason why I was late for school.
　　　　선행사　　　❶　　　　절

구문: why 이하는 선행하는 명사 ❷ _____ 을 수식한다.
해석: 이것이 내가 ❸ _____ 이유이다.

3 He has a cat, which has light gray hair.
　　　　선행사　관계사절의 ❶　　　　용법

구문: which 이하는 ❷ _____ 을 부연 설명한다.
해석: 그는 고양이가 ❸ _____ , 그것은 밝은 회색 털을 가지고 있다.

4 My son likes whatever I read to him.
　　　　　　　❶　　　　관계대명사절

구문: whatever는 ❷ _____ that으로 바꾸어 쓸 수 있다.
해석: 나의 아들은 내가 읽어 주는 것은 ❸ _____ 좋아한다.

LINK WORKBOOK p. 26

Unit 8

부사 역할을 하는 어구

부사처럼 동사, 형용사
또는 문장 전체를 수식하는
여러 형식의 표현을
알아볼까요?

to부정사	Everyone	was surprised	to hear the news.
	모든 사람들은	놀랐다	그 소식을 듣고

시간·조건·이유·양보의 부사절	Though they failed,	they	tried	again.
	비록 실패했지만	그들은	시도했다	다시

분사구문의 의미	Walking on the street,	I	met	Ms. Parker.
	길을 걷다가	나는	만났다	Parker씨를

분사구문의 형태	Having been built of stone,	the building	was	very strong.
	돌로 지어져서	그 건물은	이었다	매우 튼튼한

01 to부정사

① Sally / went / to London / **to study architecture**.
　　　　　　　　　　　　　　　　　　목적 (~하기 위해)

　　Sally는 / 갔다 / 런던에 / 건축학을 공부하기 위해

② This letter / is / **too blurred** / for me **to recognize**.
　　　　　　　　　　　　　　　　　　정도 (~하기에)

　　이 편지는 / 이다 / 너무 흐릿한 / 내가 알아보기에는

- to부정사의 부사적 용법은 목적(~하기 위해), 결과(결국 ~하다), 감정의 원인(~해서), 판단의 근거(~하다니), 정도(~하기에) 등의 의미를 지닌다.
- 형용사+enough+to부정사: ~할 정도로 충분히 …한
  too+형용사+to부정사: ~하기에 너무 …한

바로예문 영어와 우리말에서 부사적 용법의 to부정사구 찾기

1　I was angry to see that he messed up my room.　　　나는 그가 내 방을 어질러 놓은 것을 보고 화가 났다.

2　Everyone was shocked to hear the news.　　　　　　모든 이들은 그 소식을 듣고 놀랐다.

3　She must be diligent to get up early every day.　　　매일 일찍 일어나다니 그녀는 성실함에 틀림없다.

4　The chocolate was too hard to chew.　　　　　　　　그 초콜릿은 씹기에 너무 딱딱했다.

바로훈련 밑줄 친 to부정사구에 주의하며, 문장을 해석하시오.

5　The girl grew up to become a world-famous opera singer.

　　≫ _____

6　My brother saved money to help poor children in Africa.

　　≫ _____

7　Tony must be romantic to propose to his girlfriend on the boat.

　　≫ _____

8　I was really surprised to see her B-boy dance on the street.

　　≫ _____

9　The table is large enough for eight people to sit around.

　　≫ _____

Words

architecture 건축학
blurred 흐릿한
recognize 알아보다
mess 어질러 놓다
diligent 성실한
romantic 낭만적인
propose 청혼하다, 제안하다

02 시간·조건·이유·양보의 부사절

① **Unless you exercise regularly**, / you / will gain / some weight again.
   <u>조건의 부사절</u>

   규칙적으로 운동을 하지 않는다면 / 당신은 / 늘 것이다 / 다시 약간의 체중이

② **Though he was poor**, / he / tried / to help the poorer people.
   <u>양보의 부사절</u>

   비록 그가 가난했지만 / 그는 / 노력했다 / 더 가난한 사람들을 도우려고

- 시간의 부사절을 이끄는 접속사: when / as (~할 때), while (~하는 동안), after (~한 후), until (~까지), since (~한 이래)
- 조건의 부사절을 이끄는 접속사: if (~한다면), unless (~하지 않는다면), so long as (~하기만 하면)
- 이유의 부사절을 이끄는 접속사: because / as / since (~하기 때문에)
- 양보의 부사절을 이끄는 접속사: though / although / even though (비록 ~일지라도)

바로예문 영어와 우리말에서 부사절 찾기

1 <u>While he was watching TV</u>, he fell asleep.   <u>그는 TV를 보면서</u> 잠이 들었다.

2 Because I was tired, I didn't do anything.   나는 피곤했기 때문에 아무것도 하지 않았다.

3 If you don't understand it, you can ask her.   만약 그것을 이해하지 못한다면, 그녀에게 물어볼 수 있다.

4 Although the dog has short legs, it is really fast.   그 개는 비록 다리가 짧지만 정말 빠르다.

바로훈련 알맞은 접속사를 고르고, 문장을 해석하시오.

5 I can't trust him since / though he often tells lies.

   » _____

6 He fell ill while / because he was traveling in London.

   » _____

7   Though / Because he was very learned, he couldn't solve the quiz.

   » _____

8 You can borrow the book after / so long as you return it on time.

   » _____

9   If / Unless you hurry up, you won't get to the airport before noon.

   » _____

Words

regularly 규칙적으로
gain weight 체중이 늘다
trust 신뢰하다
learned 박식한
return 반납하다
on time 시간을 어기지 않고

1 다음 글의 주제로 가장 알맞은 것은?

Real life can be influenced by the expectations of others. When you believe a team will perform well, in some magical way they do. And similarly, when you believe they won't perform well, they don't. This idea is known as the Pygmalion Effect. A study was done **to suggest that this idea is true**. In 1966, at a San Francisco elementary school, some researchers experimented with the idea. The teachers were told that one fifth of their class would develop higher IQ scores. During the checks after 4 months, 8 months, and 20 months, the teachers were surprised **to see the progress the students showed**. The teachers knew their expectation had a great effect on their progress.

① the ways to improve IQ   ② the power of expectations

③ the effect of self-confidence   ④ the importance of working together

⑤ what teachers expect their students to do

Words   influence ~에 영향을 끼치다   expectation 기대, 예상   perform 행하다, 수행하다   similarly 비슷하게
be known as ~으로 알려져 있다   suggest 시사하다, 보여 주다   experiment 실험을 하다   progress 발전, 진행

2 다음 중 RH 혈액형에 관한 설명으로 글의 내용과 일치하지 <u>않는</u> 것은?

What's your blood type? You may answer the question as one of the 4 types of blood,

A, B, O, and AB. But there is one more way to divide blood into groups. It's the RH factor.

As this discovery was made in the course of experiments on rhesus monkeys, it came to

have the name "RH." It was found that **when certain combinations of blood were made,**

the red blood cells broke apart. The cause was traced to certain differences in the RH factor.

The blood of human beings in this case is divided into RH positive and RH negative.

When blood from an RH positive person is given to a person who is RH negative, the

person will develop a blood disease. About one in every forty or fifty children of an RH

positive father and RH negative mother will have a blood disease.

* rhesus monkey 붉은 털 원숭이

① ABO식과 더불어 사람의 혈액형을 구분하는 방식이다.

② 인간의 혈액형은 RH 양성과 RH 음성으로 나눌 수 있다.

③ 'RH'라는 이름은 그것을 처음 발견한 과학자의 이름을 따서 지어졌다.

④ RH 양성인 사람의 혈액을 RH 음성인 사람에게 제공하면 문제가 될 수 있다.

⑤ RH 양성과 RH 음성인 부모에게서 태어난 사람 중 2% 정도가 혈액 질환을 앓고 있다.

Words   blood type 혈액형   divide 나누다   factor 인자, 요인   in the course of ~의 과정에서   combination 조합
trace (원인을) 추적하다   positive (검사 결과가) 양성인   negative (검사 결과가) 음성인   blood disease 혈액 질환

03 분사구문의 의미

① **Turning right**, / you / will see / a photo shop / on your left.
= If you turn right
오른쪽으로 돌면 / 당신은 / 보게 될 것이다 / 사진관을 / 왼쪽에서

② **(Being) Covered with snow**, / the street / was / slippery.
= Because it was covered with snow
눈으로 덮여서 / 도로는 / 이었다 / 미끄러운

- 분사구문은 주로 현재분사나 과거분사로 시작하는 어구로, 부사절을 대신한다. 형용사나 과거분사로 시작하는 분사구문의 경우에는 앞에 Being이 생략된 것이다.
- 분사구문은 문맥에 따라 시간(~할 때), 이유(~하기 때문에), 조건(~한다면), 부대상황(~하면서) 등의 의미를 지닌다.

바로예문 영어와 우리말에서 분사구문 찾기

1 Saying goodbye to me, she waved her hand.
나에게 작별인사를 하며 그녀는 손을 흔들었다.

2 Being sick and tired, she stayed in bed.
아프고 피곤해서 그녀는 침대에 누워 있었다.

3 Written in easy English, the book is easy to read.
그 책은 쉬운 영어로 쓰여서 읽기 쉽다.

4 Lost in the forest, we had to depend on the compass.
숲에서 길을 잃어서 우리는 나침반에 의존해야 했다.

바로훈련 분사구문에 밑줄을 긋고, 문장을 해석하시오.

5 Left to himself, the boy began to cry.

» _____

6 Drinking hot tea, you will feel much better.

» _____

7 Walking down the street, I encountered my old friend.

» _____

8 Having no experience, you must learn everything from the bottom up.

» _____

9 He said, "I'd like a cup of green tea," looking at my face.

» _____

Words

covered with
~으로 뒤덮인
slippery 미끄러운
compass 나침반
encounter 우연히 만나다
from the bottom up
처음부터

04 분사구문의 형태

① **(Having been) caught in a traffic jam before**, / I / leave / home / earlier.

= Because I have been caught in a traffic jam before

전에 교통 체증에 걸린 적이 있기 때문에 / 나는 / 나온다 / 집에서 / 더 일찍

② **His work (having been) finished**, / he / sat down / to drink coffee.

= After his work had been finished

그의 일이 다 끝난 후 / 그는 / 앉았다 / 커피를 마시기 위해

- 완료형 분사구문은 「Having + p.p. ~」 형태로 주절보다 한 시제 앞선 것을 나타낸다. Having been은 Being과 마찬가지로 종종 생략된다.
- 분사구문의 주어가 주절의 주어와 다르면 분사 앞에 주어를 쓴다.
- 분사구문의 부정형은 분사 앞에 not을 쓴다.

바로예문 영어와 우리말에서 분사구문 찾기

1 Having lost all his money, he had to change his plan.

돈을 모두 잃어버려서 그는 계획을 변경해야 했다.

2 Having been built of wood, the houses easily burn.

목재로 지어져서 그 집들은 불에 타기 쉽다.

3 The snow beginning to fall, they were very excited.

눈이 내리기 시작하자 그들은 매우 신이 났다.

4 Not having been caught before, he stole the car again.

전에 잡힌 적이 없었기 때문에 그는 또 차량절도를 했다.

바로훈련 알맞은 표현을 고르고, 문장을 해석하시오.

5 Not eaten / having eaten enough food, I felt hungry.

» _____

6 Having not / Not having received a letter from him, I wrote again.

» _____

7 There being / been no wind, the boat didn't move at all.

» _____

8 Having sick / been sick , Wendy was absent from school that day.

» _____

9 All the money having spent / been spent , he started looking for work.

» _____

Words

traffic jam 교통 체증
burn (불이) 타오르다
be absent from
~에 결석하다

3 밑줄 친 the letters "US"에 관해 Sam Wilson이 의도한 것과 사람들이 이해한 것이 바르게 짝지어진 것은?

Uncle Sam is the symbol of the United States. Is he a real person? Yes, he is. Uncle Sam

was Samuel Wilson. **Born in Arlington, Massachusetts in 1766**, he opened a meat-packing

company in New York. He was a good and caring employer and became known as Uncle

Sam. Sam Wilson sold meat to the army and he wrote <u>the letters "US"</u> on the crates. This

meant "United States," but this abbreviation was not yet common. One day, a company

worker was asked what the letters "US" stood for. **Not knowing**, he said that perhaps the

letters stood for his employer, Uncle Sam. Soon soldiers began joking that their food came

from Uncle Sam and called themselves Soldiers of Uncle Sam.

	<u>Sam Wilson이 의도한 것</u>		사람들이 이해한 것
①	United States	···	United States
②	United States	···	Uncle Sam
③	Uncle Sam	···	Unsealed
④	Uncle Sam	···	Uncle Sam
⑤	Unsealed	···	United States

Words | symbol 상징   caring 배려하는   employer 고용주   crate (물품 운송용) 상자   abbreviation 축약형, 약자
common 흔한   stand for ~을 나타내다   unsealed 봉인되지 않은

4 다음 글의 제목으로 가장 알맞은 것은?

People who were born in the years from the early 1980s until the early 2000s are called millennials. They usually don't go to banks and just use online banking, and they don't carry cash and just use cards. That's why they are also called the Tech Generation. It's difficult to define millennials into one category, but we can learn from their habits. **Having been brought up in the recession**, millennials tend to be more careful with their money. They usually shop around to find the best price, but they're also willing to spend a little more to have a great customer experience or to support a worthy cause. We can also see that millennials are spending more of their hard-earned cash on experiences, like restaurants and traveling rather than designer brands and other material possessions.

① What Change Happened in the 2000s?   ② The Millennial Generation: Who Are They?

③ Consumption Behavior of Millennials   ④ A New Challenge: The Economic Recession

⑤ Why Was a New Generation Made?

Words   millennials 새천년세대   define 정의하다   category 범주   recession 경기 후퇴, 불황   tend to ~하는 경향이 있다
worthy 가치 있는   cause 목적, 대의   hard-earned 힘들게 번   possession 소유

네모 안에서 알맞은 표현을 고르시오.

1 He took out the trash empty / to empty the bin.

2 This book is too difficult for me understanding / to understand .

3 If / Unless you are careful, you may get hurt.

4 Since / Though it was difficult to solve, they didn't give up.

5 Confused / Confusing about the situation, I asked him for advice.

6 Having been ill / Having ill , I stayed home for a long time.

7 Being / The weather being fine, we'll go to the zoo.

8 Having not / Not having been invited, they didn't come to the party.

구문 분석 노트를 완성하시오.

1 I went to the gym to play basketball.
  ❶ _____   _____
                    to부정사구

구문: to play 이하는 ❷ _____ 을 나타내는 부사적 용법
의 to부정사구이다.

해석: 나는 농구를 ❸ _____ 체육관에 갔다.

2 While I was listening to music, I fell asleep.
              ❶ _____

구문: while은 ❷ _____ 을 나타내는 부사절을 이끄는 접
속사이다.

해석: 나는 노래를 ❸ _____ 잠이 들었다.

3 Feeling thirsty, I drank cool water.
       ❶ _____

구문: Feeling thirsty는 ❷ _____ 를 나타내며,
Because I felt thirsty로 바꿔 쓸 수 있다.

해석: ❸ _____ 나는 시원한 물을 마셨다.

4 Destroyed by a flood, the house was rebuilt.
       ❶ _____
                    분사구문

구문: Destroyed 앞에 Having ❷ _____ 이 생략되었다.

해석: 홍수로 ❸ _____ 그 집은 다시 지어졌다.

LINK> WORKBOOK p. 30

Unit 9

가정법

사실이 아닌 것을 가정하여 말하는 가정법의 여러 가지 형태 및 표현을 알아볼까요?

가정법 과거와 과거완료	If we had 우리가 있다면	more time, 더 많은 시간이	we could talk more. 우리는 더 이야기할 텐데

혼합 가정법	If I had gotten up 내가 일어났다면	earlier, 더 일찍	I might not be late. 나는 늦지 않을 텐데

I wish와 as if 가정법	I wish 좋을 텐데	I were a character 내가 등장인물이면	in the book. 그 책의

If절의 대용	Without you, 당신이 없다면	we couldn't finish it 우리는 그것을 끝내지 못할 것이다	on time. 제시간에

01 가정법 과거와 과거완료

① **If we had** / more time, / we **would check** / our luggage / again.
            └─────── 가정법 과거 ───────┘

우리에게 있다면 / 더 많은 시간이 / 우리는 점검할 텐데 / 우리 짐을 / 다시

② **If you had helped** / him, / he **could have finished** / his project / in time.
            └─────── 가정법 과거완료 ───────┘

당신이 도왔다면 / 그를 / 그는 끝낼 수 있었을 텐데 / 프로젝트를 / 제시간에

- 가정법 과거: If+주어+동사의 과거형 ~, 주어+조동사의 과거형+동사원형 ....
  현재 사실과 반대되는 상황을 가정한다. (~한다면, …할 텐데.)
- 가정법 과거완료: If+주어+had p.p. ~, 주어+조동사의 과거형+have p.p. ....
  과거 사실과 반대되는 상황을 가정한다. (~했다면, …했을 텐데.)

바로예문 영어와 우리말에서 가정법을 나타내는 동사 찾기

1 If she <u>knew</u> the reason, Mina <u>wouldn't be</u> angry.   미나가 이유를 <u>안다면</u> 화내지 <u>않을</u> 텐데.

2 If I were in your shoes, I wouldn't meet him again.   내가 너의 입장이라면 그를 다시는 만나지 않을 텐데.

3 If he ran faster, he could catch the ball.   그가 더 빨리 달린다면 그는 그 공을 잡을 수 있을 텐데.

4 If it had rained yesterday, we couldn't have gone camping.   어제 비가 왔다면 우리는 캠핑을 갈 수 없었을 것이다.

바로훈련 알맞은 표현을 고르고, 문장을 해석하시오.

5 If she had a cell phone, she can / could send me a text message.

» _____

6 If Dad is / were in Korea, he could go to the baseball game with me.

» _____

7 If he hadn't quit school, he would graduate / have graduated last spring.

» _____

8 If we have / had taken a taxi, we might have gotten to the theater on time.

» _____

9 If Jack had / hadn't made a mistake, he could have gotten an A.

» _____

Words

luggage (여행용) 짐
in time 늦지 않게
be in one's shoes
~의 입장이 되다
quit 그만두다
graduate 졸업하다

02 혼합 가정법

① **If** you **had brought** / an umbrella, / you **wouldn't get** wet / in this rain.
　　　　가정법 과거완료　　　　　　　　　　가정법 과거

당신이 가져왔더라면 / 우산을 / 당신은 젖지 않을 텐데 / 이 비에

② **If** I **had read** / the book / last night, / I **would not regret** / it / now.
　　　가정법 과거완료　　　　　　　　　　　　가정법 과거

내가 읽었더라면 / 그 책을 / 어젯밤에 / 나는 후회하지 않을 텐데 / 그것을 / 지금

● 혼합 가정법: If+주어+had p.p. ~, 주어+조동사의 과거형+동사원형 ....
　　　　　　　　과거 사실과 반대되는 가정이 현재에 영향을 미치는 것을 나타낸다. ((과거에) ~했더라면 (지금) …할 텐데.)

바로예문 영어와 우리말에서 가정법을 나타내는 동사 찾기

1 If I had eaten breakfast, I wouldn't be hungry now.　　내가 아침을 먹었다면 지금 배가 고프지 않을 텐데.

2 If you had helped me then, I would help you today.　　당신이 그때 나를 도왔더라면 내가 오늘 당신을 도울 텐데.

3 If I had brought some food, I would eat it in this park.　　내가 음식을 가져왔더라면 이 공원에서 먹을 텐데.

4 If he had taken my advice, he could be happier now.　　그가 내 조언을 들었더라면 그는 지금 더 행복할 텐데.

바로훈련 밑줄 친 부분에 유의하여 문장을 해석하시오.

5 If you had gone to the party last night, you would be very tired now.

　》 _____

6 If they had gotten more evidence, they could win this case.

　》 _____

7 If I had majored in theater, I could become a main actor now.

　》 _____

8 If we had recycled, we could save over 200 dollars.

　》 _____

9 If we hadn't sold the car, we could drive to the seaside now.

　》 _____

Words

regret 후회하다
evidence 증거
case 소송, 사건
major in ~을 전공하다
recycle 재활용하다

1 빈칸 (A)와 (B)에 알맞은 표현끼리 바르게 짝지어진 것은?

If we could magically turn gravity off, what would happen? It depends on how strongly

things are attached to the Earth. The Earth is rotating at quite a speed. If you

(A) _____ something around your hand on a string, it goes around in a circle.

When you let go of the string, it flies off in a straight line. "Switching off" gravity would be

like letting go of the string. Things not attached to the Earth would fly off in a straight line.

People in buildings would suddenly shoot upwards at a great speed until they hit the

ceiling. However, some things like trees and many buildings, which are rooted to the Earth,

(B) _____ off so easily.

	(A)		(B)
①	spin	…	would fly
②	spin	…	would not fly
③	spun	…	don't fly
④	would spin	…	would have flied
⑤	would spin	…	would have flied

Words gravity 중력   depend on ~에 달려 있다   attach 붙이다   rotate 회전하다   quite 꽤, 상당히   string 끈, 실
fly off 날아가 버리다   shoot 쏘다, 발사하다   upwards 위쪽으로   root 뿌리를 내리다   spin 회전하다

2 다음 글에서 전체 흐름과 관련이 <u>없는</u> 문장은?

Steve Jobs, who was the CEO and co-founder of Apple, developed his love for computers for a long time. When he was a high school student, he often went to a big computer company and took after-school classes on computer technology. ① During summers, he worked at the company as a part-timer and learned more about computers. ② Although he quit college after one semester, he went back to take some courses including his favorite class, calligraphy. ③ It was about the art of beautiful typography, and later this helped him create both the iPod and the iPhone. ④ He not only joined a computer club but also made computers himself. ⑤ **If Steve Jobs hadn't continued his study on that subject, these two bestsellers would not exist now.**

Words co-founder 공동 창업자   quit 그만두다   semester 학기   course 강의, 강좌   calligraphy 캘리그래피(손 글씨를 이용하여 구현하는 시각 예술)   typography 활자술

03 I wish와 as if 가정법

① **I wish** / I **were** a main actor / in that movie.
　　　　　가정법 과거

좋을 텐데 / 내가 주연 배우라면 / 저 영화의

② She talked / about Mr. Jackson / **as if** she **had met** him.
　　　　　　　　　　　　　　　　　　　　가정법 과거완료

그녀는 말했다 / Jackson씨에 관해서 / 마치 그녀가 그를 만났던 것처럼

- I wish + 가정법 과거/과거완료: 실현되기 어려운 소망을 나타내며, '~하면/~했다면 좋을 텐데'로 해석한다.
- as if + 가정법 과거/과거완료: 사실과 반대되는 것을 나타내며, '마치 ~인/~이었던 것처럼'으로 해석한다.

바로 예문 영어와 우리말에서 가정법을 나타내는 동사 찾기

1 I wish I <u>could get</u> some rest.
내가 <u>쉴 수 있으면</u> 좋을 텐데.

2 I wish I had known the recipe for the soup.
내가 그 수프의 조리법을 알았더라면 좋을 텐데.

3 She behaves as if she were a millionaire.
그녀는 마치 백만장자인 것처럼 행동한다.

4 He acts as if he hadn't seen me there.
그는 마치 거기서 나를 못 봤던 것처럼 행동한다.

바로 훈련 밑줄 친 부분에 유의하여 문장을 해석하시오.

5 I wish I <u>had</u> a chance to make things right again.

　》 _____

6 It seemed <u>as if he had heard</u> the rumor about Ken.

　》 _____

7 The girl in the picture looked <u>as if she fell</u> asleep.

　》 _____

8 I wish it <u>would stop</u> raining and we <u>could swim</u> in the pool outside.

　》 _____

9 He walked away without a word <u>as if we weren't</u> in the room.

　》 _____

Words

recipe 요리법
millionaire 백만장자
rumor 소문
asleep 잠이 든

04 if절의 대용

① **Without** the storm, / we **could have arrived** / much earlier.
<u>= If it had not been for the storm</u>   _{가정법 과거완료}

폭풍우가 없었다면 / 우리는 도착할 수 있었을 텐데 / 훨씬 더 일찍

② **An adult** / **wouldn't do** / such a thing.
   _{가정법 과거}

어른이라면 / 하지 않을 텐데 / 그런 행동을

- without 또는 but for는 '~가 없다면/없었다면'으로 해석한다. If it were not for, 또는 If it had not been for로 바꾸어 쓸 수 있다.
- 명사구, to부정사, 분사구 등이 if절 대신 쓰일 수 있다.
- if가 생략되어 「Were[Had]+주어」의 어순으로 쓸 수도 있다.

바로 예문 영어와 우리말에서 if절을 대신하는 표현 찾기

1 <u>But for the test</u>, all the students would be happy.   시험이 없다면, 모든 학생들이 행복할 텐데.

2 Without the sun, nothing could live.   태양이 없다면 아무것도 살 수 없을 것이다.

3 Were it not for gravity, people couldn't walk.   중력이 없다면 사람들은 걸을 수 없을 것이다.

4 Had it not been for freedom, it wouldn't have been peaceful.   자유가 없었다면 평화롭지 않았을 것이다.

바로 훈련 알맞은 가정법 표현을 고르고, 문장을 해석하시오.

Words
gravity 중력
freedom 자유
peaceful 평화적인
leadership 지도력

5 With / Without the support of my family, I couldn't have succeeded.

  » _____

6 But / But for his leadership, we couldn't have won the game last night.

  » _____

7 If it were not / had not been for his dog, he would feel very lonely.

  » _____

8 A smart student would / wouldn't make such a mistake.

  » _____

9 Had it not / not it been for her, the movie couldn't have been completed.

  » _____

3 다음 글의 빈칸에 들어갈 말로 가장 알맞은 것은?

In the Solomon Islands in the South Pacific, some villagers practice a unique form of logging. If a tree is too large to be cut with an ax, the natives cut it down by yelling at it!

Woodsmen climb up on a tree right at dawn and suddenly scream at it at the top of their lungs **as if the tree were a human**. They continue this for thirty days. The tree dies and falls over. According to the villagers, the yelling kills the spirit of the tree and it always works.

In a similar way, we modern, urban people yell at the traffic and bills and banks and machines. We don't know what good it does. Machines and things just sit there. Even kicking doesn't always help. As for people, the Solomon Islanders may have a point. Yelling at living things does tend to kill the spirit in them. Sticks and stones may break our bones, but words will _____.

① hurt our physical health   ② break our heart and soul

③ cut down the giant tree   ④ do no good to machines

⑤ just disappear in the air

Words   log 벌목하다   ax 도끼   native 원주민   yell 소리치다   woodsman 나무꾼   dawn 새벽   scream 비명을 지르다
at the top of one's lungs 목청껏   spirit 영혼, 정신   urban 도시의   good 소용, 이득

4   Bat boy or a girl에 관해 다음 글의 내용과 일치하지 <u>않는</u> 것은?

Darren Baker plays an important role on the Dodgers team. **Without his help, the players could not hit the ball!** He is not a baseball player though. He is a bat boy! A bat boy or bat girl does much more than just pick up the bats of baseball players. He or she is also responsible for many other tasks, including cleaning the players' helmets and giving bats to the players. Then how do you become a bat boy or girl? To become a bat boy or a girl for a Major League Baseball team, you need to be at least 14 years old and know the rules of baseball. Being a bat boy or girl is a lot of hard work with long hours and not much pay. But, you have the chance to meet players and get autographs, as well as to watch your favorite team play for free!

① 야구장에서 배트를 줍는 역할을 한다.

② 선수들의 헬멧을 닦고 배트를 갖다 준다.

③ 메이저리그에서는 14살 이상이어야 한다.

④ 야구 경기의 규칙을 알고 있어야 한다.

⑤ 나이가 어리므로 근무 시간이 짧다.

Words   role 역할   though (문장 끝에서) 그렇지만   pick up 집다, 줍다   be responsible for ~의 책임을 지다, 맡다   at least 적어도
autograph 서명   for free 무료로

 네모 안에서 알맞은 표현을 고르시오.

1 He talks to me as if / if as he knew everything.

2 I wish I be / were a special agent in that movie.

3 If he had explained the details, we can / could understand it better.

4 If we found / had found the code, we could have entered the room.

5 With / Without the traffic jam, we could have arrived much earlier.

6 Were it not / Had it not been for your help, I might have failed the exam.

7 If I have / had my own room, I could sleep well at night.

8 If Sally had moved to Paris then, she would live / have lived there now.

 구문 분석 노트를 완성하시오.

1 If the sun shone, we would go swimming in the
     ❶_____ 조동사의 과거형 + 동사원형
sea.

구문: 현재의 상황과 반대되는 상황을 가정하여 말하는
     ❷_____ 구문이다.
해석: 태양이 밝게 빛난다면, 우리는 바다로 ❸____
     갈 텐데.

2 If I had finished my work, I would have a great
     가정법 ❶   가정법 과거
time now.

구문: 「과거 사실의 반대 + 현재 사실의 반대」 형태인
     ❷_____ 가정법 문장이다.
해석: 내가 일을 다 ❸____ 나는 지금 좋은 시간을
     보내고 있을 텐데.

3 He smiled as if he had understood everything.
                   가정법 ❶

구문: 「as if + 가정법」 구문으로 '❷____ ~이었
     던 것처럼'이라는 의미이다.
해석: 그는 마치 모든 것을 ❸____ 웃었다.

4 Without air, we couldn't live.
     = If it ❶____ for air

구문: Without은 ❷____ 을 대신하여 쓸 수 있다.
해석: ❸____ 우리는 살 수 없을 것이다.

LINK > WORKBOOK p. 34

Unit 10

여러 가지 특수 구문

> 문장의 의미를 더 풍부하게 만들어 주는 비교, 도치, 강조, 동격, 병렬 표현을 알아보아요.

비교	최상급 의미를 갖는 비교 표현	No one	is	as fast as	Sandra.
		아무도	않다	~만큼 빠르지	Sandra

	기타 비교 표현	This box	is	twice as large as	that one.
		이 상자는	이다	~보다 두 배 더 큰	저것

특수 구문	도치, 강조	Never	did I eat	snacks	last night.
		결코	나는 먹지 않았다	간식을	지난밤에

	동격, 병렬	Not my brother	but my father	played	the game.
		형이 아니라	우리 아빠가	했다	그 게임을

01 최상급 의미를 갖는 비교 표현

① <u>**No other** boy</u> in my class is / <u>**as tall as**</u> / Peter.
부정어 주어   원급 비교

우리 반의 어떤 남자아이도 ~않다 / ~만큼 키가 크지 / Peter

② Soccer is / <u>**more popular than any other sport**</u> / in that country.
              비교급 + than any other + 단수 명사

축구는 ~이다 / 어떤 다른 운동보다도 더 인기 있는 / 그 나라에서

- 부정어 주어 ... as + 원급 + as ~: ~만큼 …한 것은 없다
- 부정어 주어 ... 비교급 + than ~: ~보다 더 …한 것은 없다   ┐
- 주어 ... 비교급 + than any other + 단수 명사: ~가 다른 어떤 (명사)보다 더 …하다 ┘ → ~가 가장 …하다

바로예문 영어와 우리말에서 최상급의 의미를 갖는 표현 찾기

1 Nothing is <u>as attractive as</u> the wonder of nature.   자연의 경이로움만큼 매력적인 것은 없다.

2 Dean trusted Jane <u>more than any other friend.</u>   Dean은 Jane을 다른 어떤 친구보다 더 믿었다.

3 Nobody was <u>doing better than</u> him.   아무도 그보다 더 잘하진 못했다.

4 I like English <u>more than any other subject.</u>   나는 다른 어떤 과목보다도 더 영어를 좋아한다.

바로훈련 밑줄 친 부분에 유의하여 문장을 해석하시오.

5 Mt. Everest is <u>higher than any other mountain</u> in the world.

  » _____

6 <u>Nothing</u> is <u>as valuable as</u> your passion.

  » _____

7 This structure is <u>larger than all the others</u> in the city.

  » _____

8 <u>No other way</u> in this situation is <u>as simple as</u> mine.

  » _____

9 The elephant is <u>bigger than any other animal</u> in the zoo.

  » _____

Words

attractive 매력적인
valuable 가치가 있는
passion 열정

02 기타 비교 표현

① **The higher** / we climbed, / **the fresher** / the air was.
　　the+비교급　　　　　　　　　the+비교급

더 높이 / 우리가 올라갈수록 / 더 신선한 / 공기가 ~이었다

② This dog is / **five times as heavy as** / that cat.
　　　　　　　배수+원급 비교

이 개는 ~이다 / 다섯 배 더 무거운 / 저 고양이보다

- the+비교급 ~, the+비교급 ...: ~하면 할수록 더 …한
- 비교급+and+비교급: 점점 더 ~한
- 배수+as+원급+as: ~보다 (몇) 배 더 …한
- the last+명사+to부정사: 가장 ~할 것 같지 않은 (명사)

바로 예문 영어와 우리말에서 비교 표현 찾기

1 The weather is getting warmer and warmer.

2 My mother is three times as old as I am.

3 She is the last person to make you angry.

4 The more you have, the more you want.

날씨가 점점 더 따뜻해지고 있다.

우리 엄마는 나보다 세 배 나이가 더 많으시다.

그녀는 당신을 결코 화나게 하지 않을 사람이다.

더 가질수록 더 원하게 된다.

바로 훈련 알맞은 비교 표현을 고르고, 문장을 해석하시오.

5 The bigger / biggest the house is, the more money it will cost.

　》 _____

6 The population of Brazil is four time / times as large as that of Korea.

　》 _____

7 This red dress is twice as expensive as / than that blue one.

　》 _____

8 The rumor about the politician is spreading faster and faster / fastest .

　》 _____

9 You're the most / last person I expected to show up at this party.

　》 _____

Words

cost 비용이 들다
population 인구
politician 정치인
expect 예상하다
show up 나타나다

1 밑줄 친 부분이 가리키는 대상이 나머지 넷과 <u>다른</u> 것은?

A 6-year-old cute dog named Dr. Duffy visits the hospital room every Tuesday with his owner Robinson. Dr. Duffy goes to the hospital not because ① <u>he</u> is ill, but because he cures the patients! ② <u>He</u> is a therapy dog. His owner Robinson says, "③ <u>He</u> changes the whole atmosphere of the floor and lifts everyone's spirits. All of the smiles come out." ④ <u>He</u> may not technically be part of the medical treatment, but the dog can help increase endorphin levels and even help children on the road to recovery after surgery. "I've heard many nurses say to me, '**Nothing is more effective than Dr. Duffy** when we get a child out of bed. When Dr. Duffy comes along, almost every child gets out of bed and walks the dog,'" ⑤ <u>he</u> boasted.

* endorphin 엔도르핀
(진통 작용이 있는 호르몬)

Words therapy 치료   atmosphere 분위기   lift one's spirit 사기를 올리다   technically 전문적으로, 기술적으로
treatment 치료, 처치   on the road to recovery 회복 중인   surgery 수술   boast 자랑하다

2 | 다음 글의 제목으로 가장 알맞은 것은?

What would you do with a bill that has been torn in half? Or what if part of the bill is torn off and missing? You should visit the nearest bank. Old paper money which is torn and dirty is taken out of circulation by the central bank. If not, we'd find it inconvenient to use the money. The average life of a paper bill is less than 10 years and **the higher the face value, the longer the life**! Every day, the central bank receives worn and dirty money from other banks, and it destroys it. If you have a damaged paper bill, this doesn't make it worthless. If three-fourths of the note is preserved, you can take it to the bank and get its full value. If more than two-fifths is preserved, you will get half of its value. But if less than two-fifths is preserved, it is valueless.

① The Important Role of the Central Bank   ② The Value of Old Paper Money

③ What to Do with Old Money   ④ Decrease in Bank Branches

⑤ Extension of the Life of Money

Words   tear in half 반으로 찢다   circulation 유통, 순환   inconvenient 불편한   face value 액면   worn 해진, 닳은
worthless 가치가 없는   preserve 보존하다   branch 지점, 지사   extension 연장

03 도치, 강조

① **Little** / **did I dream** / that I would get / the present / from you.
　　부정어구　　　주어·동사 도치

거의 / 나는 꿈에도 생각 못했다 / 내가 받으리라고는 / 선물을 / 너에게서

② **It is** Mozart's music / **that** is the most popular / among many mothers.
　　　강조어구

바로 모차르트의 음악이다 / 가장 인기 있는 것은 / 많은 엄마들 사이에

- 부사(구)나 little, never, hardly, scarcely 등의 부정어가 문장의 맨 앞에 오면 주어와 동사의 순서가 바뀐다.
- 「so/neither+동사+주어」는 앞의 말에 동의하여 '~도 그러하다'는 뜻을 나타낸다.
- It is ~ that ...은 주로 주어나 목적어, 부사구 등 문장의 일부를 강조하는 표현으로, '...인 것은 바로 ~이다'로 해석한다.
- at all, in the least는 부정문을 강조하는 어구로, '결코/전혀 ~아닌'으로 해석한다.

바로 예문 밑줄 친 부분에 유의하여 영어와 우리말에서 도치 또는 강조 표현 찾기

1 Here comes the bus.　　　　　　　　　여기에 버스가 온다.

2 She's not embarrassed by the rumor at all.　그녀는 그 소문에 전혀 당황하지 않았다.

3 My father is a magician, and so is my mother.　나의 아버지는 마술사이고 엄마도 마찬가지이다.

4 He didn't care about the problem in the least.　그는 그 문제를 전혀 신경 쓰지 않았다.

바로 훈련 밑줄 친 부분에 유의하여 문장을 해석하시오.

5 Outside of the gate stood a strange dog.

　》 _____

6 Not a single word did he say to his teacher.

　》 _____

7 It was the day before yesterday that I went to the exhibition.

　》 _____

8 Tracy couldn't use the washing machine, and neither could her sister.

　》 _____

9 Even though he explained it to me, I couldn't understand in the least.

　》 _____

Words

embarrass
당황스럽게 만들다
rumor 소문
exhibition 전시회

04 동격, 병렬

① **Seoul, the capital of Korea,** / is the biggest city / in Korea.

— 동격 —

한국의 수도인 서울은 / 가장 큰 도시이다 / 한국에서

② Exercising / is good / for both **body** and **mind**.

both A and B

운동을 하는 것은 / 좋다 / 몸과 마음 둘 다에

- 앞에 오는 명사(구)나 문장을 보충 설명하는 어구를 동격 어구라고 한다. 동격의 명사(구)는 주로 콤마(,)를 통해 연결한다.
- the fact / idea / belief / news / rumor 등의 명사 뒤에 오는 that절도 앞의 명사와 동격 관계를 이룬다.
- 병렬은 두 개 이상의 단어, 구, 또는 절이 접속사나 비교 구문을 통해 연결되어 있는 것을 말한다. 병렬 관계에 있는 어구는 문법적으로 동일한 형태여야 한다.

바로예문 영어와 우리말에서 밑줄 친 부분과 동격이나 병렬 관계의 표현 찾기

1 I heard the news that the criminal was caught.

나는 범인이 잡혔다는 소식을 들었다.

2 Neither my sister nor I was late for school today.

나의 여동생도 나도 오늘 학교에 늦지 않았다.

3 We went to the movies, Chloe, Tom and I.

Chloe와 Tom 그리고 나, 이렇게 우리는 영화를 보러 갔다.

4 Judy hates not only carrots but also broccoli.

Judy는 당근뿐만 아니라 브로콜리도 싫어한다.

바로훈련 알맞은 표현을 고르고, 문장을 해석하시오.

5 My brother is interested in cooking as well as to take / taking photos.

»

6 We didn't know the fact that / what he had volunteered for 10 years.

»

7 He was praised and admire / admired for his courageous decision.

»

8 Jake, the tallest boy of my classmates, is / are my best friend.

»

9 We should exercise regularly and eat / eating nutritious food.

»

Words

criminal 범죄자
praise 칭찬하다
admire 존경하다
courageous 용기 있는
nutritious 영양가 있는

3 다음 글의 빈칸에 들어갈 말로 가장 알맞은 것은?

It is not just longer hours of work that have affected modern eating habits. _____

also has something to do with them. For example, look at cars. First, cars became

popular and then fast food was invented so that people could eat in their cars. And today

many fast food chains are trying to create more kinds of foods that are easy for drivers to eat

while on the road. Computers have also changed modern eating habits. Teenagers don't

want to take time away from surfing or gaming, so they snack in front of their computers.

And many people are connected to computers **in the office, at home, and even on the road,**

so there is little free time for people to share a relaxed meal with family or friends.

① Leisure time

② The food industry

③ Modern technology

④ Computer engineering

⑤ Working environment

Words   affect 영향을 미치다   modern 현대의   eating habit 식습관   have something to do with ~과 무언가 관련이 있다
surf 인터넷상의 정보를 찾아 다니다   snack 간단한 식사를 하다   technology 기술

4 다음 글의 제목으로 가장 알맞은 것은?

Atlantis is the name of a civilization which is said to have been lost under the ocean thousands of years ago. But was Atlantis a real place? In fact, there is little reason to believe Atlantis existed. Millions of dollars have been spent by researchers trying to find the lost city. However, no art, language, or people from Atlantis have ever been found. Besides, the only record of Atlantis was written by the philosopher Plato. In his writing, Plato described **a wonderful kingdom, an island greater in extent than Libya and Asia.** But if there had been such a place, there should be some trace of it left.

① Mysterious Islands in History

② Atlantis: Did It Really Exist?

③ Efforts to Find the Lost City

④ Traces of Atlantis Have Been Found!

⑤ Atlantis: It Was a Wonderful Kingdom!

Words   civilization 문명   thousands of 수천의   in fact 사실   millions of 수백만의   besides 게다가   philosopher 철학자
describe 묘사하다   kingdom 왕국   extent 넓이, 범위   trace 흔적

구문+어법 네모 안에서 알맞은 표현을 고르시오.

1 Nothing is as boring as / than this show.

2 No other girl / girls in this classroom is smarter than Cathy.

3 The old / older one gets, the fewer friends one has.

4 This square is three times as / so large as that one.

5 It / This was on the bus that I first met Tony.

6 My mother loves to paint pictures as well as to grow / grew plants.

7 Hardly I have / have I seen such beautiful scenery.

8 She has the belief that / what the situation will get better soon.

구문 분석 노트 구문 분석 노트를 완성하시오.

1 Nothing is as important as health.
  부정어 주어   as+ ❶   +as

구문: 원급으로 ❷[   ] 의미를 나타내는 비교 표현이 쓰였다.

해석: ❸[   ] 중요한 것은 없다.

2 The more you learn, the easier it gets.
  the+비교급   the+ ❶

구문: 「the+비교급~, the+비교급...」은 '~하면 ❷[   ] 더 ...한'의 뜻이다.

해석: 배우면 배울수록, 그것은 ❸[   ].

3 Little did I dream that I would get that high score.
  ❶   주어와 동사 도치

구문: Little이 문장 맨 앞에 오면서 주어와 동사가 ❷[   ] 되었다.

해석: 내가 이렇게 높은 점수를 받으리라고는 ❸[   ] 않았어.

4 Dan, a friend of mine, left the town.
  ❶

구문: a friend of mine은 앞에 오는 Dan을 ❷[   ] 한다.

해석: 내 ❸[   ] Dan은 마을을 떠났다.

LINK WORKBOOK p. 38

영어 1등급 STARTER
우리가 찾던 책이
바로 이거야

내가 쓰는 문장이
바로 내신의 평가문항이 되고

내가 읽는 지문이
바로 수능의 배경지식이 되고

바로 쓰는 문법 `기본`

- 2단계에 걸친 개념 반복 학습으로 문법 마스터
- 15개정 13종 교과서에서 뽑은 문장 쓰기 훈련
- 별책 부록으로 '핵심 개념노트(미니 개념북)' 증정

바로 읽는 배경지식 독해 `기본`

- 수능 배경지식 쌓고 독해력 키우는 기본 독해서
- 우리말 스토리&유튜브 영상으로 오래 기억하는 배경지식
- 재미있는 단어 퍼즐, 문장 끊어 읽기 등을 통한 독해 훈련

바로 푸는 문법 N제 `실전`

- 오답률 기반의 단계별 선택형/서술형 문제풀이 훈련
- 〈바로 쓰는 문법〉과 동일한 목차로 병행 또는 순차적 사용 가능
- 별책 부록으로 '내가 왜 틀렸을까(오답 노트)' 증정

바로 읽는 구문 독해 `실력`

- 급격히 어려워지는 고교 영어 내신 대비서
- 문장 구조 파악과 바른 해석을 훈련하는 독해서
- 구문 설명 → 문장 연습 → 독해 훈련으로 단계화

바로
읽는
구문 독해

바로 읽는 구문 독해

구문

LEVEL

3

WORKBOOK

CHUNJAE
EDUCATION, INC.

바로 읽는 독해

WORKBOOK

바로 읽는 구문 독해
WORKBOOK

LEVEL 3

Unit 1
주어 자리에 오는 것

A 이 단원에서 배운 내용을 정리하시오.

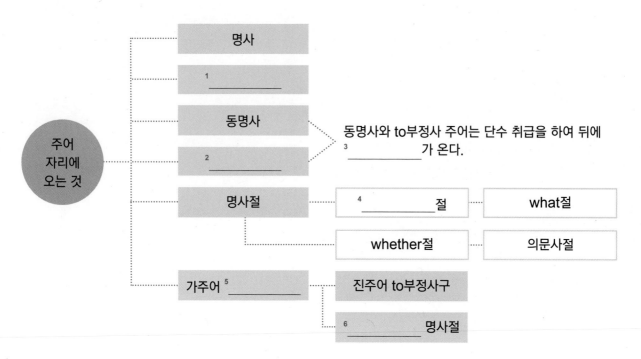

주어
자리에
오는 것

명사

1 _____

동명사

2 _____

동명사와 to부정사 주어는 단수 취급을 하여 뒤에
3 _____가 온다.

명사절

4 _____절 ·········· what절

whether절 ·········· 의문사절

가주어 5 _____ ·········· 진주어 to부정사구

6 _____ 명사절

B 영어는 우리말로, 우리말은 영어로 쓰시오.

1 sensitive   _____

2 release   _____

3 necessary   _____

4 conclude   _____

5 agriculture   _____

6 involve   _____

7 require   _____

8 eternal   _____

9 reveal   _____

10 fluid   _____

11 편리한   _____

12 공식의, 격식을 차린   _____

13 친절, 다정함   _____

14 숙달하다   _____

15 두려움, 공포   _____

16 기능   _____

17 숭배   _____

18 거절하다   _____

19 습관   _____

20 눈으로 볼 수 있는   _____

C 보기에서 알맞은 단어를 골라 빈칸에 쓰시오.

보기   adjust   classify   judge   drop   barely

1 They _____ the mail by address.
   (그들은 편지를 주소별로 분류한다.)

2 My friend invited me to _____ by anytime.
   (내 친구는 언제든지 들르라고 나를 초대했다.)

3 I can _____ keep my eyes open.
   (나는 눈을 거의 뜰 수가 없다.)

4 I need some time to _____ myself to a new environment.
   (나는 새로운 환경에 적응할 시간이 필요하다.)

5 Don't _____ people by their appearances.
   (사람의 겉모습만 보고 판단하지 마라.)

D 네모 안에서 어법에 맞는 표현을 고르고, 문장을 해석하시오.

1 Volunteering for society was / were his longtime dream.
   » _____

2 Eat / To eat too much sugar is not good for our health.
   » _____

3 If / Whether you can keep a secret or not is very important to me.
   » _____

4 It was very exciting what / that he escaped from jail in the movie!
   » _____

5 It is not a good idea to / that go shopping on a rainy day.
   » _____

Unit 1 주어 자리에 오는 것

E 우리말에 맞게 주어진 단어를 바르게 배열하시오.

1 한 장소에서 오래 머무는 것은 지루하다.

| for a long time | in a place | to stay | boring | is |

» _____

2 Osiris는 죽음과 밀접한 연관이 있었다.

| death | closely | Osiris | was | associated | with |

» _____

3 만약 바쁘다면, 초대를 거절하는 것을 두려워하지 마라.

| be afraid | if | the invitation | are | busy | you | don't | to decline |

» _____

4 그녀가 나에게 말한 것은 중요한 비밀이었다.

| secret | to me | was | an | she | what | said | important |

» _____

5 그들이 그것을 좋아하는지 아닌지가 큰 이슈이다.

| it | they | like | a big issue | is | whether | or | not |

» _____

6 숙제를 끝내는 데 한 시간이 걸렸다.

| an hour | took | the homework | finish | it | to |

» _____

7 당신이 곤경에 처했을 때 누가 도움을 주었는가?

| you | who | gave | you | when | in trouble | a hand | were |

» _____

8 밤늦게까지 비디오 게임을 하는 것은 당신의 건강을 해친다.

| late | playing | your health | at night | harms | video games |

» _____

F 주어진 표현을 활용하여 문장을 완성하시오.

1 만리장성을 우주 공간에서 볼 수 있다고 말하는 것은 흔히 하는 실수이다. mistake say

   » _____ the Great Wall of China is visible from

   outer space.

2 아마도 당신이 생각한 것들은 이런 감정일 것이다. what think

   » _____ are these emotions.

3 그녀가 중국 음식을 좋아하는지 아닌지는 내게 중요하다. like Chinese food

   » _____ is important to me.

4 이 음악은 특별한 날에 종종 연주된다. often play

   » _____ on a special day.

5 내가 그 책을 완전히 다 읽는 데는 세 달이 걸렸다. take finish

   » _____ reading this book.

6 수업에 적극적으로 참여하는 것은 학생들의 의무 중 하나이다. participate in actively

   » To _____ is one of the students' duties.

7 그들은 숲 한가운데에서 길을 잃은 것이 분명하다. clear lost

   » It _____ in the middle of the woods.

8 극장에서 휴대전화를 끄지 않는 것은 다른 사람들을 방해할지도 모른다. turn off cell phone

   » Not _____ may bother other people.

Unit 2
목적어 자리에 오는 것

A 이 단원에서 배운 내용을 정리하시오.

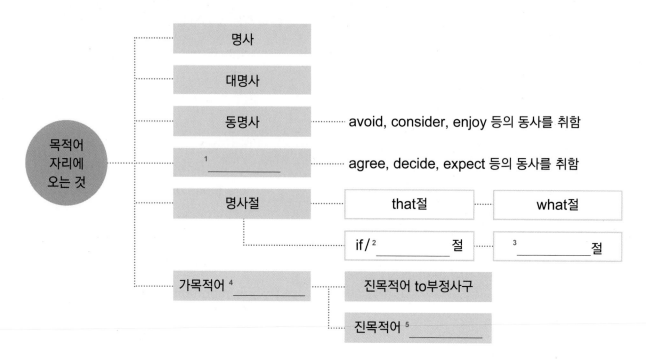

목적어 자리에 오는 것

명사

대명사

동명사 —— avoid, consider, enjoy 등의 동사를 취함

¹ _____ —— agree, decide, expect 등의 동사를 취함

명사절 —— that절 ··· what절

if / ² _____ 절 ··· ³ _____ 절

가목적어 ⁴ _____ —— 진목적어 to부정사구

진목적어 ⁵ _____

B 영어는 우리말로, 우리말은 영어로 쓰시오.

1	weight	_____	11	염색하다	_____
2	disappear	_____	12	원시의, 태고의	_____
3	consequently	_____	13	입양	_____
4	harmful	_____	14	유기농의	_____
5	contact	_____	15	독성의	_____
6	flat	_____	16	예방하다	_____
7	rare	_____	17	편리한	_____
8	argue	_____	18	세대	_____
9	ecosystem	_____	19	암기하다	_____
10	absence	_____	20	영양분이 많은	_____

C 보기에서 알맞은 단어를 골라 빈칸에 쓰시오.

> **보기**   beneficial   semester   century   storm   disappointing

1 They put off going out because of the heavy _____.
   (그들은 폭풍우 때문에 외출하는 것을 미루었다.)

2 She found that the performance was a little _____.
   (그녀는 그 공연이 좀 실망스럽다는 것을 알게 되었다.)

3 Do you know when the new _____ will begin?
   (너는 언제 새 학기가 시작될지 알고 있니?)

4 Drinking a lot of water every day is _____ to your health.
   (매일 물을 많이 마시는 것은 당신의 건강에 이롭다.)

5 I think it possible that we will live on other planets in the next _____.
   (나는 다음 세기에 우리가 다른 행성에서 사는 것이 가능하다고 생각한다.)

D 네모 안에서 어법에 맞는 표현을 고르고, 문장을 해석하시오.

1 My brother plans to learn / learning swimming this summer.

   » _____

2 He will finish to write / writing the novel by the end of this year.

   » _____

3 Researches show what / that smiling is good for our health.

   » _____

4 I'm not sure what / whether this program is useful or not.

   » _____

5 I can't tell you that / what I have in mind.

   » _____

Unit 2 목적어 자리에 오는 것

E 우리말에 맞게 주어진 단어를 바르게 배열하시오.

1 난 한 달에 두 번 조부모님께 전화 드리는 것을 규칙으로 삼고 있다.

I   twice a month   a rule   it   to call   my grandparents   make

» _____

2 사람들은 유기농 식품이 유익한지 아닌지에 대해 논쟁을 해 왔다.

organic food   about   people   or not   beneficial   have argued   whether   is

» _____

3 우리들 중 많은 이들이 일상의 사소한 것들을 기억하는 것을 점점 불필요하게 여기고 있다.

many of us   it   more and more   everyday details   are   to remember   finding   unnecessary

» _____

4 나는 내일 서울에 비가 올지를 확신할 수 없다.

in Seoul   will rain   if   tomorrow   I   am   sure   not   it

» _____

5 우리는 미래에 인류가 사라지는 것이 가능하다고 생각한다.

we   think   possible   that   it   will disappear   in the future   humans

» _____

6 그는 그녀의 선물로 어느 것이 더 좋을지 모르겠다.

he   her present   doesn't   know   is   better   which   for

» _____

7 파리에 가면 내게 사진 보내는 것을 잊지 마라.

go to   Paris   forget   to send   when   don't   you   me   some pictures

» _____

8 나는 오늘 Roy가 왜 학교에 지각했는지 몰랐다.

Roy   was   school   know   late for   why   I   didn't   today

» _____

F 주어진 표현을 활용하여 문장을 완성하시오.

1 우리는 바다에서 수영하는 것을 연습했다. practice

» We _____ in the sea.

2 모든 회원들은 한 달에 한 번 회의를 갖는 것에 동의했다. agree meeting

» All the members _____ once a month.

3 누가 이 꽃을 교실에 가져왔는지 알고 있니? bring

» Do you know _____?

4 나는 엄마가 내 일기를 읽어 본 것이 아닌지 의심하고 있다. doubt

» I _____ my diary.

5 그는 컴퓨터가 고장난 것을 깨닫지 못했다. break

» He didn't realize _____.

6 당신은 그 토론을 계속 하는 것은 소용 없다는 것을 알게 될 것이다. useless continue

» You will find it _____.

7 우리의 원초적인 본성은 독성이 있는 음식을 먹는 것을 피한다. avoid poisonous

» Our primal nature _____.

8 나는 그들에 관해 당신이 알고 싶어하는 것을 말해줄 것이다. tell know

» _____ about them.

Unit 3
보어 자리에 오는 것

A 이 단원에서 배운 내용을 정리하시오.

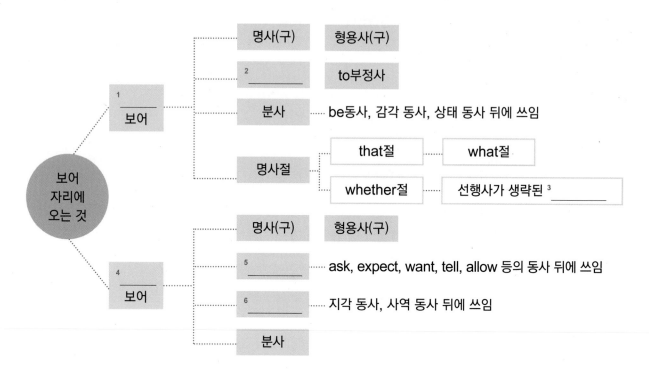

B 영어는 우리말로, 우리말은 영어로 쓰시오.

1 customer	_____	11 경영하다, 운영하다	_____
2 peel	_____	12 관심사, 걱정	_____
3 encourage	_____	13 비틀리다	_____
4 violently	_____	14 갈라지다, 금	_____
5 exhausting	_____	15 우울한	_____
6 decorative	_____	16 관중, 관객	_____
7 construct	_____	17 잡담하다	_____
8 preserve	_____	18 숨을 쉬다	_____
9 improve	_____	19 목적, 의도	_____
10 toss	_____	20 범죄	_____

C 보기에서 알맞은 단어를 골라 빈칸에 쓰시오.

> 보기   conserve   cure   relieve   disappear   unsettled

1 The problem remained _____.
   (그 문제는 해결되지 않은 채로 남았다.)

2 Her dream was to be a vet and _____ animals.
   (그녀의 꿈은 수의사가 되어 동물들을 치료하는 것이었다.)

3 The great magician can make a tall building _____ before your eyes.
   (그 위대한 마술사는 당신 눈앞에서 높은 건물이 사라지게 할 수 있다.)

4 This is how people _____ nature and the environment.
   (그것이 사람들이 자연과 환경을 보존하는 방법이다.)

5 One of his favorite activities to _____ stress was watching movies.
   (그가 스트레스를 푸는 활동 중 하나는 영화를 보는 것이었다.)

D 네모 안에서 어법에 맞는 표현을 고르고, 문장을 해석하시오.

1 My mother encourages me eating / to eat healthy food.

   » _____

2 I saw the old lady put / to put something strange on the desk.

   » _____

3 The restaurant is what / where he worked as a part-timer last year.

   » _____

4 The good news is what / that his disease can be cured.

   » _____

5 We could feel the cool wind to blow / blowing from the mountain.

   » _____

Unit 3 보어 자리에 오는 것

E 우리말에 맞게 주어진 단어를 바르게 배열하시오.

1 나는 Tom이 무대 위에서 기타를 치는 것을 보았다.

I   Tom   saw   on the stage   the guitar   play

» _____

2 두 번째 이유는 나무의 거친 표면을 보완하기 위해서였다.

the wood   the second   was   reason   the roughness   to cover   of

» _____

3 CCTV는 종종 우리가 불편함을 느끼도록 만든다.

feel   makes   CCTV   us   often   uncomfortable

» _____

4 나는 5시 전에는 당신이 집에 가게 해주겠다.

I   you   let   will   go   five o'clock   before   home

» _____

5 나의 취미는 야생 동물 그림을 그리는 것이다.

drawing   is   my hobby   pictures   wild animals   of

» _____

6 나는 Tomy가 나의 제안을 받아들이도록 설득하는 데 실패했다.

to persuade   I   my offer   Tomy   to accept   failed

» _____

7 이것이 그녀가 백만장자가 된 방법이다.

a millionaire   is   became   she   how   this

» _____

8 그녀의 관심사는 그녀가 자신의 빵집을 열 수 있는지 없는지이다.

her   is   can open   her concern   own   bakery   whether   she   or not

» _____

F 주어진 표현을 활용하여 문장을 완성하시오.

1 그가 가장 좋아하는 취미는 혼자 음악을 듣는 것이었다. listen alone

» His favorite pastime _____ .

2 나는 어젯밤에 집이 심하게 흔들리는 것을 느꼈다. feel shake violently

» _____ last night.

3 또 한가지 좋은 점은 방마다 아침 식사가 함께 나온다는 것이다. come with

» Another nice thing is _____ .

4 많은 관중들이 원숭이가 오토바이를 타는 것을 구경했다. large audience ride

» _____ a motorbike.

5 나는 몇 분 동안 생각에 파묻혀 있었다. sit bury

» _____ for some minutes.

6 이 가방이 정확히 내가 찾고 있던 것이다. exactly look for

» This bag is _____ .

7 그들은 내가 방에 들어가지 못하게 했다. let enter

» They _____ the room.

8 그는 중학생들에게 독서를 많이 하라고 충고한다. advise

» He _____ .

Unit 4
시제와 수동태

A 이 단원에서 배운 내용을 정리하시오.

시제		단순시제	진행형	완료형
	현재	동사의 현재형	am/is/are+-ing	have/has+p.p.
	과거	동사의 과거형	was/were+-ing	1 _____
	미래	2 _____ +동사원형	will be+-ing	will have+p.p.

수동태의 시제		수동태	진행형 수동태	완료형 수동태
	현재	am/is/are+p.p.	am/is/are being+p.p.	have/has been+p.p.
	과거	was/were+p.p.	was/were being+p.p.	3 _____ been+p.p.
	미래	will be+p.p.	will be being+p.p.	will have been+p.p.

수동태의 다양한 형태	부정문	의문문	동사구
	be동사+ 4 _____ +p.p.	(의문사+)be동사+주어+p.p. ~?	동사구를 하나의 동사로 취급

B 영어는 우리말로, 우리말은 영어로 쓰시오.

1 seriously _____

2 sculpture _____

3 huge _____

4 several _____

5 acquire _____

6 decade _____

7 overcome _____

8 get rid of _____

9 suffer from _____

10 take part in _____

11 지혜 _____

12 장애 _____

13 노력하다, 애쓰다 _____

14 우연히 _____

15 실험하다 _____

16 불법의 _____

17 수술 _____

18 전설 _____

19 열다, 개최하다 _____

20 손상시키다 _____

C 보기에서 알맞은 단어를 골라 빈칸에 쓰시오.

> 보기   released   soothe   chased   inspired   harvest

1 Look at the man who is being _____ by the police.
(경찰에게 쫓기고 있는 저 남자를 봐.)

2 The mother was trying to _____ her crying child.
(어머니는 우는 아이를 달래려고 노력하고 있었다.)

3 The autobiography of the actor will be _____ next month.
(그 배우의 자서전이 다음달에 발매될 것이다.)

4 The farmers will _____ the corn next week.
(농부들은 다음주에 옥수수를 수확할 것이다.)

5 The artist was _____ by a famous basketball player.
(그 예술가는 유명한 농구선수에게서 영감을 얻었다.)

D 네모 안에서 어법에 맞는 표현을 고르고, 문장을 해석하시오.

1 This library is knowing / known as the largest structure in the world.

» _____

2 The desk was cover / covered with the documents.

» _____

3 If I read the book once more, I will be / have read it five times.

» _____

4 The puppy looked / is looked after by everybody in the town.

» _____

5 Have / were you ever been to Jejudo before?

» _____

Unit 4 시제와 수동태

E 우리말에 맞게 주어진 단어를 바르게 배열하시오.

1 다음 주말에 나와 함께 쇼핑하러 갈래?

you | will | with | shopping | me | next | go | weekend

» _____

2 지금 그들은 대회를 위해 그 노래를 연습 중이다.

they | for | are | the song | practicing | the contest

» Now _____

3 삿포로 눈 축제는 큰 축제로 성장했다.

grown | the Sapporo Snow Festival | has | into | festival | a | huge

» _____

4 Mattie는 많은 사람들에게 그들이 겪게 될지도 모르는 모든 장애물을 극복하도록 영감을 주었다.

Mattie | to overcome | they | inspired | face | may | many people | every obstacle

» _____

5 내 컴퓨터는 언니에 의해 수리되고 있다.

my | being | computer | my sister | is | repaired | by

» _____

6 그 와인은 그 전에는 누구에게도 시음되지 않았다.

tasted | anyone | been | by | before then | not | the wine | had

» _____

7 나는 그들이 도착하기 전에 음식을 준비했었다.

prepared | before | had | they | I | the food | arrived

» _____

8 이 재킷은 내 어린 남동생이 벗어둔 것이었다.

this jacket | brother | by | was | off | taken | little | my

» _____

F 주어진 표현을 활용하여 문장을 완성하시오.

1 지구는 둥글고 자전한다. round   turn

　》 ＿＿＿＿＿＿＿＿＿＿＿＿＿＿＿＿＿＿＿＿ itself.

2 나는 몇 달 동안 아침으로 시리얼을 먹어 왔다. cereal

　》 ＿＿＿＿＿＿＿＿＿＿＿＿＿＿＿＿＿＿＿＿ for several months.

3 이 플루트가 그 음악가에 의해 연주되었니? flute   play

　》 ＿＿＿＿＿＿＿＿＿＿＿＿＿＿＿＿＿＿＿＿ the musician?

4 그는 작년에 뉴욕에서 길을 잃었다. get lost

　》 ＿＿＿＿＿＿＿＿＿＿＿＿＿＿＿＿＿＿＿＿ last year.

5 우리는 이번 겨울에 눈싸움을 하고 있을 것이다. have a snowball fight

　》 We ＿＿＿＿＿＿＿＿＿＿＿＿＿＿＿＿＿＿＿＿ this winter.

6 당신이 외출할 때는 사물함을 열어 두지 마라. leave   unlocked

　》 ＿＿＿＿＿＿＿＿＿＿＿＿＿＿＿＿＿＿＿＿ when you are out.

7 X-ray 기계들은 다른 것에도 또한 사용되어 왔다. use

　》 X-ray machines ＿＿＿＿＿＿＿＿＿＿＿＿＿＿＿＿＿＿＿＿ too.

8 '땅'이 제거되었고 '할리우드'만이 남게 되었다. get rid of

　》 "Land" ＿＿＿＿＿＿＿＿＿＿＿＿＿＿＿＿＿＿＿＿ and only "Hollywood" remained.

Unit 5
조동사

A 이 단원에서 배운 내용을 정리하시오.

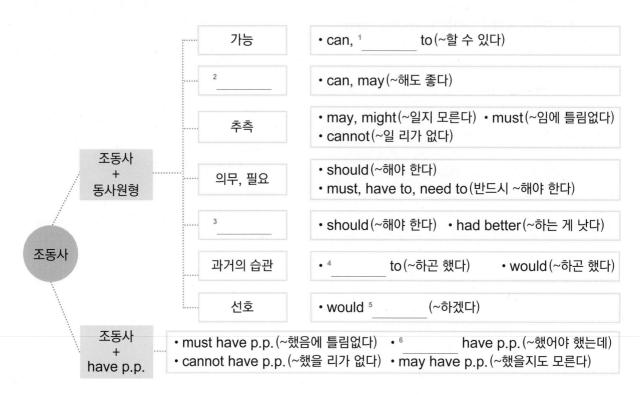

가능	• can, ¹_____ to(~할 수 있다)
²_____	• can, may(~해도 좋다)
추측	• may, might(~일지 모른다) • must(~임에 틀림없다) • cannot(~일 리가 없다)
의무, 필요	• should(~해야 한다) • must, have to, need to(반드시 ~해야 한다)
³_____	• should(~해야 한다) • had better(~하는 게 낫다)
과거의 습관	• ⁴_____ to(~하곤 했다) • would(~하곤 했다)
선호	• would ⁵_____(~하겠다)

조동사 + 동사원형

조동사 + have p.p.
• must have p.p.(~했음에 틀림없다) • ⁶_____ have p.p.(~했어야 했는데)
• cannot have p.p.(~했을 리가 없다) • may have p.p.(~했을지도 모른다)

B 영어는 우리말로, 우리말은 영어로 쓰시오.

1 career _____
2 qualified _____
3 look after _____
4 depend on _____
5 childhood _____
6 educator _____
7 heavily _____
8 necessity _____
9 cheer on _____
10 negative _____

11 계산 _____
12 포기하다 _____
13 귀가 들리지 않는 _____
14 으르렁거리는 소리 _____
15 사냥하다 _____
16 암기하다 _____
17 약속 _____
18 허락 _____
19 무게가 나가다 _____
20 ~에 기대다 _____

C 보기에서 알맞은 단어를 골라 빈칸에 쓰시오.

> 보기   modern   imagination   unlimited   nodded   ancestors

1 I asked him if he would help me, and he _____.
   (나는 그가 나를 도울 것인지 물었고, 그는 고개를 끄덕였다.)

2 Stress is a major problem of _____ life.
   (스트레스는 현대 생활의 주요한 문제이다.)

3 We will be allowed _____ access to the file.
   (우리는 그 파일에 무제한으로 접근할 수 있다.)

4 The custom has come down to us from our _____.
   (그 관습은 우리 조상들로부터 전해 내려오고 있다.)

5 She used her _____ to write the novel.
   (그녀는 소설을 쓰는 데에 그녀의 상상력을 이용했다.)

D 네모 안에서 어법에 맞는 표현을 고르고, 문장을 해석하시오.

1 Swimmers must / could wear a life vest in deep water.

   » _____

2 People should stand / to stand in line to buy tickets.

   » _____

3 You should / must have been to the museums a lot. You know a lot about art.

   » _____

4 I used to / had better keep a diary when I was a kid.

   » _____

5 I would / would rather eat vegetables than eat meat for my health.

   » _____

Unit 5 조동사

E 우리말에 맞게 주어진 단어를 바르게 배열하시오.

1 그는 우리가 알던 사람이 아닐지도 모른다.

we | the person | he | whom | have known | may not | be

» _____

2 나는 어렸을 때 기타를 연주할 수 있었다.

I | young | was | the guitar | was able to | when | play | I

» _____

3 어린이는 몇 살 때 컴퓨터 사용하는 법을 배워야 할까?

age | should | to use | a child | learn | a computer | at | what

» _____

4 그들은 서로 더 잘 의사소통하는 방법을 발전시켰음에 틀림없다.

each other | other ways | they | developed | must have | to better communicate | with

» _____

5 우리는 동물원보다 차라리 놀이 공원에 가겠다.

the amusement park | the zoo | go | rather | we | than | to | would

» _____

6 아기가 자고 있으므로 당신은 소음을 내면 안 된다.

you | any noise | the baby | must | is sleeping | make | because | not

» _____

7 나는 초등학생일 때 내 남동생과 축구를 하곤 했다.

student | I | play | with | when | my brother | used to | soccer | an elementary school | was | I

» _____

8 당신은 그에게 자주 전화했어야 했는데.

often | should | you | him | called | have

» _____

F 주어진 표현을 활용하여 문장을 완성하시오.

1 자전거를 탈 때 우리는 헬멧을 써야 한다. should   helmet

   » _____ when we ride a bicycle.

2 그는 오늘 일을 하느라 바빠서 점심을 먹을 수 없었다. eat lunch

   » _____ because he was busy working.

3 당신은 컴퓨터 기술의 전문가에게 도움을 청하는 것이 좋겠다. had better   an expert

   » _____ in computer technology.

4 그들은 내가 이상한 사람임에 틀림없다고 생각한다. must   strange

   » They think _____ .

5 마침내 그 개구리는 높이 뛰어 올라서 구멍 밖으로 나올 수 있었다. was able to

   » Finally the frog jumped so high that _____ .

6 그는 허락 없이 그 상자를 열지 말았어야 했다. should   open

   » _____ without permission.

7 Tom과 나는 비가 오면 밖에서 놀곤 했다. used to

   » _____ when it rained.

8 그는 비밀번호를 잊어버렸을지도 모른다. might   forget

   » _____ his password.

Unit 6
형용사 역할을 하는 어구

A 이 단원에서 배운 내용을 정리하시오.

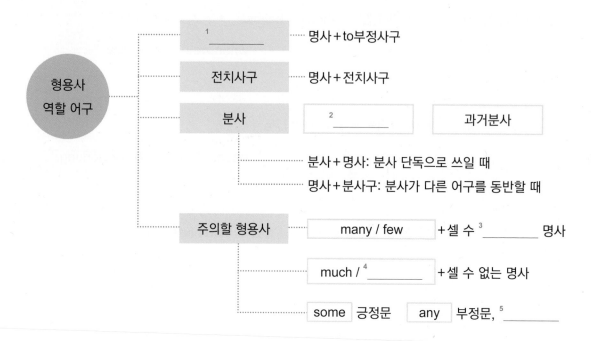

형용사 역할 어구

1 _____	····· 명사+to부정사구
전치사구	····· 명사+전치사구
분사	2 _____	과거분사

분사+명사: 분사 단독으로 쓰일 때
명사+분사구: 분사가 다른 어구를 동반할 때

주의할 형용사

many / few +셀 수 ³_____ 명사

much / ⁴_____ +셀 수 없는 명사

some 긍정문 any 부정문, ⁵_____

B 영어는 우리말로, 우리말은 영어로 쓰시오.

1 conflict	_____	11 증명하다	_____
2 actually	_____	12 멸종 위기에 처한	_____
3 unusual	_____	13 편견	_____
4 material	_____	14 반사하다	_____
5 contestant	_____	15 흡수하다	_____
6 range	_____	16 성질, 속성	_____
7 direct	_____	17 혼합체	_____
8 appetite	_____	18 ~할 여유가 되다	_____
9 capital	_____	19 불행히도	_____
10 cheering	_____	20 굽히다, 숙이다	_____

C 보기에서 알맞은 단어를 골라 빈칸에 쓰시오.

보기   concern   injured   spoil   earthquake   desire

1 Too many cooks _____ the broth.
   (요리사가 너무 많으면 수프를 망친다.)

2 The _____ animals must be taken care of first.
   (부상을 입은 동물들을 우선으로 보살펴야 한다.)

3 There is a _____ about the singer's health among her fans.
   (그 가수의 건강에 대한 걱정이 그녀의 팬들 사이에 있다.)

4 The athlete announced his _____ to retire.
   (그 운동선수는 은퇴할 바람을 발표했다.)

5 Did you hear the news about the _____ in Nepal?
   (네팔에서 일어난 지진에 대한 뉴스를 들었니?)

D 네모 안에서 어법에 맞는 표현을 고르고, 문장을 해석하시오.

1 They may pick as many / much oranges as they can.

   » _____

2   Any / Some people lose their appetite when it is too hot.

   » _____

3 Scientists studying / to study the disease discovered new facts.

   » _____

4 The girl with / on a blue skirt is my sister.

   » _____

5 Drinking afternoon tea is a famous tradition of / on England.

   » _____

Unit 6 형용사 역할을 하는 어구

E 우리말에 맞게 주어진 단어를 바르게 배열하시오.

1 그는 함께 게임을 할 몇 명의 친구가 필요하다.

   with　friends　he　to play　needs　some　the game

   » _____

2 캐나다의 수도는 토론토가 아니라 오타와이다.

   the　Canada　not　capital　Toronto　but　Ottawa　is　of

   » _____

3 비타민 C는 사람들이 섭취하는 가장 인기 있는 비타민이다.

   for people　popular　to take　vitamin C　the most　vitamin　is

   » _____

4 일부 파장들은 반사되고 나머지는 물체에 의해 흡수된다.

   wavelengths　the material　and　some　the rest　are reflected　are absorbed　by

   » _____

5 무대에서 첼로를 연주하는 남자는 내 친구였다.

   on　the cello　was　my　the stage　friend　the man　playing

   » _____

6 일기예보에 따르면, 이번 겨울에 눈이 많이 내릴 것이다.

   there　this winter　be　snow　according to　will　much　the weather report

   » _____

7 인터넷에 있는 몇몇 정보는 매우 유용하다.

   the Internet　some　very　information　on　is　useful

   » _____

8 말을 뒤쫓고 있는 호랑이는 큰 이빨을 가지고 있다.

   the tiger　a horse　teeth　big　running after　has

   » _____

Study Date: _____ / _____

F 주어진 표현을 활용하여 문장을 완성하시오.

1 우리 어머니는 세계 여행을 할 바람을 가지고 계시다. desire travel

>> My mom _____ .

2 내 에세이의 주제가 될 만한 재미있는 아이디어가 있니? idea topic

>> Do you have _____ of my essay?

3 그것이 비타민 C를 충분히 섭취하는 가장 좋은 방법이다. best get

>> That is _____ .

4 아이아이원숭이는 둥글고 이글거리는 눈을 가지고 있다. round glowing

>> The aye-aye has _____ .

5 다친 마라톤 선수는 결승선으로 계속 달렸다. run finish line

>> The injured marathon runner _____ .

6 오늘 할 일이 좀 있니? work

>> _____ today?

7 그는 회복할 가망이 거의 없다. chance recovery

>> There is _____ .

8 모두 신체적으로나 정신적으로 장애가 있는 9명의 참가자들이 출발선에 서 있었다. disabled

>> Nine contestants, _____ , stood at the starting line.

Unit 7
관계사

A
이 단원에서 배운 내용을 정리하시오.

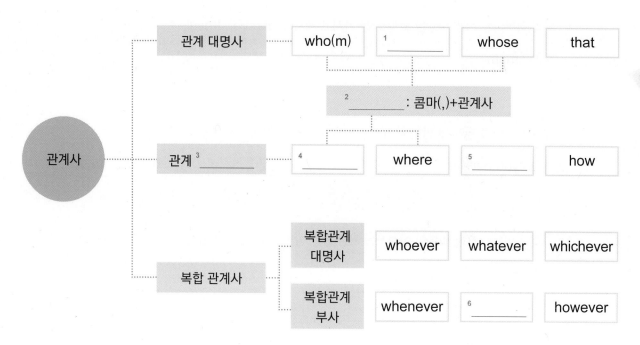

| 관계 대명사 | who(m) | 1 _____ | whose | that |

2 _____ : 콤마(,)+관계사

| 관계 3 _____ | 4 _____ | where | 5 _____ | how |

관계사

| 복합 관계사 | 복합관계 대명사 | whoever | whatever | whichever |
| | 복합관계 부사 | whenever | 6 _____ | however |

B
영어는 우리말로, 우리말은 영어로 쓰시오.

1 supply _____

2 crop _____

3 nutrient _____

4 soil _____

5 predator _____

6 process _____

7 influence _____

8 enzyme _____

9 incorrectly _____

10 frequent _____

11 곤충 _____

12 트림하다, 트림 _____

13 분류하다 _____

14 변형시키다 _____

15 소화의 _____

16 반응 _____

17 불안(감) _____

18 삼키다 _____

19 장애, 방해 _____

20 포유동물 _____

C 보기에서 알맞은 단어를 골라 빈칸에 쓰시오.

> 보기   get rid of   pronounce   excessive   interpreter   hire

1 _____ exercise can harm your body.
(과도한 운동은 당신의 몸에 해로울 수 있다.)

2 Can you tell me how to _____ this word?
(이 단어를 어떻게 발음하는지 알려주시겠어요?)

3 Chemicals help grow food and _____ harmful insects.
(화학물질은 작물을 재배하고 해충을 없애는 것을 돕는다.)

4 We will _____ the person who is the most qualified.
(우리는 가장 잘 자격을 갖춘 사람을 고용할 것이다.)

5 The woman whom I met at the library works as an _____.
(내가 도서관에서 만난 여자는 통역사로 일한다.)

D 네모 안에서 어법에 맞는 표현을 고르고 문장을 해석하시오.

1 This woman who / whose son is a famous musician comes every day.

≫ _____

2 Earth Day is a special day where / when we think about the environment.

≫ _____

3 The exam was delayed, which / that means I have more time to study.

≫ _____

4 I'm always nervous whenever / whatever I give a speech.

≫ _____

5 You can eat whoever / whatever you want to eat.

≫ _____

Unit 7 관계사

E 우리말에 맞게 주어진 단어를 바르게 배열하시오.

1 언론은 지진에서 생존한 소년을 인터뷰했다.

survived   the press   interviewed   who   the boy   the earthquake

» _____

2 이것이 우리가 그 숲에서 탈출했던 방법이다.

the way   is   escaped   this   the forest   we   from

» _____

3 농부들이 사용하는 가장 대표적인 종류의 화학물질은 비료와 살충제다.

farmers   that   the most common   and   fertilizers   are   types of chemicals   pesticides

use

» _____

4 당신은 상어와 고래의 차이를 어떻게 구별하는지 알고 있는가?

the difference   do you know   a whale   how   we   tell   between   and   a shark

» _____

5 나는 안에 크림치즈가 든 그 빵이 먹고 싶다.

which   to eat   the bread   I   want   in   cream cheese   has   it

» _____

6 당신이 저녁으로 무엇을 요리하든, 그건 맛있을 거야.

whatever   it   delicious   may cook   you   for dinner   will be

» _____

7 이 시는 그가 5분 만에 썼는데, 아주 훌륭했다.

5 minutes   this poem   which   wrote   in   excellent   was   he

» _____

8 나는 그를 볼 때마다 유명한 배우가 생각난다.

him   famous   whenever   actor   see   I   think   of   a   I

» _____

F 주어진 표현을 활용하여 문장을 완성하시오.

1 Brown씨는 자신의 오래된 차를 팔았는데, 그것은 그가 20대 때 산 것이었다. <u>buy</u> <u>in one's 20s</u>

» Mr. Brown sold his car, _____ .

2 우리 할머니가 작년에 나에게 만들어 주신 이 스웨터를 너에게 빌려줄게. <u>make</u>

» I'll lend you this sweater _____ .

3 이것이 그가 제시간에 그곳에 도착한 방법이다. <u>get</u> <u>on time</u>

» This is the way _____ .

4 이 이미지들은 뇌에서 처리될 수 있는 영역으로 옮겨진다. <u>process</u>

» These images are sent to an area of the brain _____ .

5 음식을 먹거나 마실 때마다 우리는 음식과 함께 일정량의 공기를 삼킨다. <u>eat</u> <u>drink</u>

» _____ , we swallow some amount of air along

with our food.

6 그 건물은 우체국이 있던 장소에 서 있다. <u>post office</u> <u>used to</u>

» The building stands on the place _____ .

7 아무리 어려울지라도 절대로 희망을 버리면 안 된다. <u>difficult</u>

» _____ , you must never give up hope.

8 7시쯤 내게 전화해줘 그때는 내가 집에 있을테니. <u>call</u>

» _____ , when I will be at home.

Unit 8
부사 역할을 하는 어구

A 이 단원에서 배운 내용을 정리하시오.

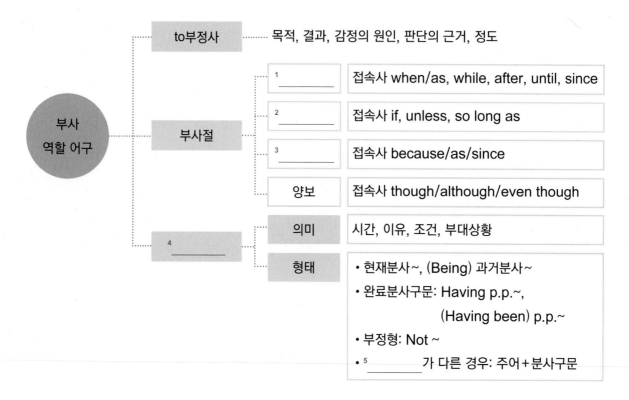

부사 역할 어구

- to부정사 .... 목적, 결과, 감정의 원인, 판단의 근거, 정도
- 부사절
  - 1 _____ | 접속사 when/as, while, after, until, since
  - 2 _____ | 접속사 if, unless, so long as
  - 3 _____ | 접속사 because/as/since
  - 양보 | 접속사 though/although/even though
- 4 _____
  - 의미 | 시간, 이유, 조건, 부대상황
  - 형태 |
    - 현재분사~, (Being) 과거분사~
    - 완료분사구문: Having p.p.~,
      (Having been) p.p.~
    - 부정형: Not ~
    - 5 _____ 가 다른 경우: 주어＋분사구문

B 영어는 우리말로, 우리말은 영어로 쓰시오.

1 expectation	_____	11 ~으로 알려져 있다	_____
2 divide	_____	12 어질러 놓다	_____
3 regularly	_____	13 실험을 하다	_____
4 perform	_____	14 경기 후퇴, 불황	_____
5 employer	_____	15 봉인되지 않은	_____
6 worthy	_____	16 ~을 나타내다	_____
7 propose	_____	17 ~하는 경향이 있다	_____
8 category	_____	18 정의하다	_____
9 progress	_____	19 미끄러운	_____
10 abbreviation	_____	20 알아보다	_____

C 보기에서 알맞은 단어를 골라 빈칸에 쓰시오.

> **보기**   encounter   absent   architecture   diligent   symbol

1 After he graduated from college, he went to Spain to study _____.
   (대학을 졸업한 후, 그는 건축학을 공부하기 위해 스페인에 갔다.)

2 She must be _____ to exercise every morning.
   (그녀는 매일 아침 운동하는 것을 보면 성실함에 틀림없다.)

3 I hope I won't _____ wild animals in the forest.
   (나는 숲에서 야생동물들과 마주치지 않기를 바란다.)

4 The color blue is a _____ of trust and wisdom.
   (파란색은 신뢰와 지혜의 상징이다.)

5 He was _____ from school without telling anyone.
   (그는 아무에게도 말하지 않고 학교에 결석했다.)

D 네모 안에서 어법에 맞는 표현을 고르고 문장을 해석하시오.

1 The boy grew up to become / becoming a world-famous writer.

   » _____

2 Because / Though he had long arms, he couldn't reach that far.

   » _____

3 You will be safe although / so long as you follow the rules.

   » _____

4 Walking / To walk on the street, I saw the beautiful tower.

   » _____

5 Not having / Not having been enough time, I can't watch the ending.

   » _____

Unit 8 부사 역할을 하는 어구

E   우리말에 맞게 주어진 단어를 바르게 배열하시오.

1   나는 그가 내 방을 엉망으로 만든 것을 보고 화가 났다.

he | I | to see | was | messed up | angry | that | my room

》 _____

2   나는 샤워를 하는 동안 내 전화기가 울리는 것을 들었다.

a shower | I | was | my telephone | I | ringing | taking | while | heard

》 _____

3   이런 생각이 사실이라는 것을 보여주기 위해 한 연구가 이루어졌다.

this idea | a study | done | was | true | that | to suggest | is

》 _____

4   특정한 혈액의 조합이 이루어지면 적혈구가 분리된다는 것이 발견되었다.

it was found | when | certain combinations of blood | the red blood cells | were made

broke apart | that

》 _____

5   그 개는 비록 다리가 짧지만 정말 빠르다.

short legs | is | although | really fast | has | it | the dog

》 _____

6   아프고 피곤해서 그녀는 침대에 누워 있었다.

bed | she | being | stayed | sick and tired | in

》 _____

7   오랫동안 잠을 자지 못했기 때문에 그들은 매우 피곤했다.

not | tired | slept | they | very | were | having | for long

》 _____

8   혼자 남겨져서 그는 새로운 아이디어를 생각하기 시작했다.

he | to | left | the new idea | think | about | started | alone

》 _____

F 주어진 표현을 활용하여 문장을 완성하시오.

1 그 초콜릿은 너무 딱딱해서 씹을 수 없었지만 달콤했다. hard chew

» _____, but it was sweet.

2 모든 이들은 그 소식을 듣고 놀랐다. shocked hear

» Everyone was _____ .

3 그는 아주 박식한 사람이지만 그 문제를 풀지 못했다. learned

» _____, he couldn't solve the problem.

4 불황기에 자라났기 때문에, 그들은 돈을 쓰는 데에 더 신중한 경향이 있다. bring up recession

» _____, they tend to be more careful with their

money.

5 나에게 작별인사를 하며 그녀는 내게 편지를 건넸다. say goodbye to

» _____, she handed me a letter.

6 전에 눈을 본 적이 없어서 그들은 매우 신나했다. before

» Not _____, they were very excited.

7 그 개가 밤에 짖어서, 사람들은 주인에게 항의해 왔다. bark at night (분사구문을 사용하여)

» _____, people have complained to the owner.

8 Sam Wilson은 운송 상자에 'US'라고 글자를 써 넣었다. write

» _____ on the crates.

Unit 9
가정법

A 이 단원에서 배운 내용을 정리하시오.

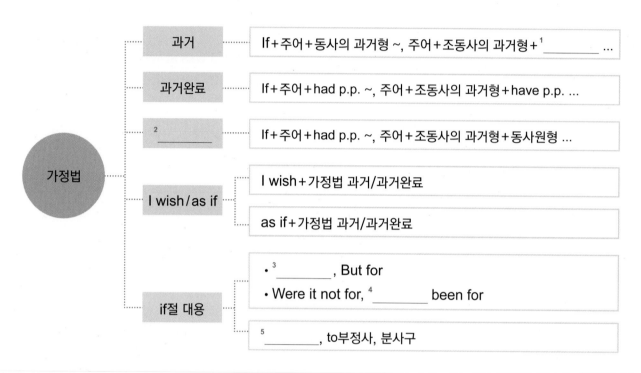

B 영어는 우리말로, 우리말은 영어로 쓰시오.

1	luggage		11	재활용하다
2	attach		12	중력
3	spin		13	위쪽으로
4	semester		14	졸업하다
5	peaceful		15	소문
6	yell		16	소용, 이득
7	urban		17	새벽
8	role		18	원주민
9	log		19	집다, 줍다
10	spirit		20	서명

C 보기에서 알맞은 단어를 골라 빈칸에 쓰시오.

> **보기** quit   leadership   evidence   rotate   asleep

1 The girl in the picture looked as if she fell _____.
(그림 속 소녀는 마치 잠든 것처럼 보였다.)

2 If you could _____ the wheel 180 degrees, what would happen?
(핸들을 180도 돌릴 수 있다면 어떤 일이 일어날까?)

3 But for the mayor's strong _____, the system couldn't change at all.
(시장의 강한 리더십이 없다면 체계는 전혀 변하지 않을 것이다.)

4 They needed more _____ to win the case against the company.
(그들이 회사를 상대로 재판에서 이기기 위해서는 더 많은 증거가 필요했다.)

5 He had to _____ his job because of a health problem.
(그는 건강 문제로 일을 그만두어야 했다.)

D 네모 안에서 어법에 맞는 표현을 고르고 문장을 해석하시오.

1 With / Without his effort, we would have failed.

  » _____

2 I wish / If I wish I had visited the beautiful castle in Europe.

  » _____

3 But / But for the express train, it would take more than 4 hours.

  » _____

4 If we had a chance, we would join / have joined the singing club.

  » _____

5 If you went / had gone to the party last night, you would be very tired now.

  » _____

Unit 9 가정법

E 우리말에 맞게 주어진 단어를 바르게 배열하시오.

1 내가 지난 학기에 그 영어 과목을 들었더라면 좋았을 텐데.

I had I the English course wish taken last semester

» _____

2 태양이 없다면 지구상의 아무것도 살 수 없을 것이다.

the Earth the sun live could nothing without on

» _____

3 마술처럼 중력을 없앨 수 있다면 어떤 일이 일어날까?

we what if happen turn magically off gravity would could

» _____

4 Steve Jobs가 공부를 계속하지 않았다면, 그 베스트셀러들은 오늘날 존재하지 않을 것이다.

now Steve Jobs if would not exist hadn't continued these bestsellers his study

» _____

5 만약 그가 일찍 일어났다면 거기에 제시간에 도착했을지도 모른다.

if on time he there arrived might have he had gotten up early

» _____

6 Hilda는 마치 자신이 부자인 것처럼 많은 상점에서 쇼핑했다.

rich she shopped as if Hilda were in many stores

» _____

7 내게 요트가 있다면 바다에 항해하러 나갈 텐데.

I a yacht if go had on the sea would I sailing

» _____

8 시험이 없다면, 모든 학생들이 행복할 텐데.

the test all the be would students but for happy

» _____

F 주어진 표현을 활용하여 문장을 완성하시오.

1 만약 우리에게 시간과 에너지가 더 있다면, 우리는 성공할 텐데. energy

» _____, we could succeed.

2 배트 보이의 도움이 없다면 선수들은 공을 칠 수가 없다! without

» _____, the players could not hit the ball!

3 그들은 나무에 올라가서 나무가 마치 사람인 것처럼 소리친다. as if

» They climb up on a tree and scream at it _____.

4 내가 다시 오디션에 참가할 기회가 있으면 좋을 텐데. wish

» _____ to take part in the audition again.

5 그는 마치 진짜 영국인인 것처럼 말했다. as if British person

» He spoke _____.

6 만약 내가 아침을 먹었더라면 지금 배가 안 고플 텐데. eat

» _____, I wouldn't be hungry now.

7 우리가 공항에 제시간에 도착했더라면, 우리는 그 가수를 볼 수 있었을 텐데. arrive

» _____, we could have seen the singer.

8 만약 그가 한국에 있다면 내가 찾아갈 텐데. visit

» If he were in Korea, _____.

Unit 10
여러 가지 특수 구문

A 이 단원에서 배운 내용을 정리하시오.

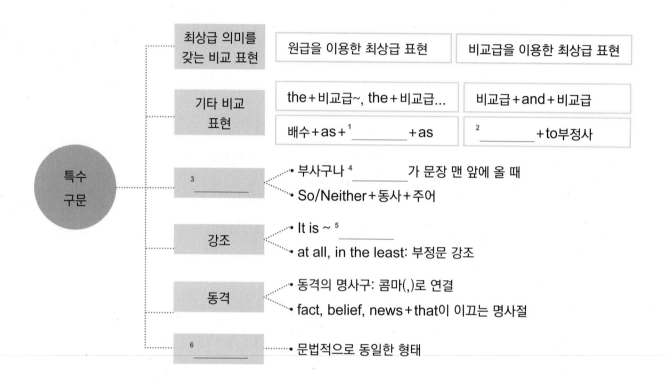

최상급 의미를 갖는 비교 표현	원급을 이용한 최상급 표현	비교급을 이용한 최상급 표현

특수 구문

기타 비교 표현	the+비교급~, the+비교급...	비교급+and+비교급
	배수+as+¹_____+as	²_____+to부정사

³_____
- 부사구나 ⁴_____ 가 문장 맨 앞에 올 때
- So/Neither+동사+주어

강조
- It is ~ ⁵_____
- at all, in the least: 부정문 강조

동격
- 동격의 명사구: 콤마(,)로 연결
- fact, belief, news+that이 이끄는 명사절

⁶_____
- 문법적으로 동일한 형태

B 영어는 우리말로, 우리말은 영어로 쓰시오.

1 attractive _____
2 exhibition _____
3 atmosphere _____
4 recovery _____
5 affect _____
6 nutritious _____
7 embarrass _____
8 praise _____
9 in fact _____
10 therapy _____

11 열정 _____
12 예상하다 _____
13 가치가 있는 _____
14 해진, 닳은 _____
15 현대의 _____
16 기술 _____
17 존경하다 _____
18 넓이, 범위 _____
19 철학자 _____
20 문명 _____

C 보기에서 알맞은 단어를 골라 빈칸에 쓰시오.

> 보기   trace   cost   population   boast   describe

1 The ship disappeared without a _____.
  (그 배는 흔적 없이 사라졌다.)

2 Neither my sister nor I could _____ the scene in detail.
  (나의 여동생도 나도 그 장면을 자세히 묘사할 수 없다.)

3 The _____ began to increase greatly in the 1990s.
  (인구는 1990년대에 크게 증가하기 시작했다.)

4 The new technique will reduce the _____ of production
  (새로운 기술은 생산 비용을 줄여줄 것이다.)

5 He didn't _____ of his success.
  (그는 그의 성공을 자랑하지 않았다.)

D 네모 안에서 어법에 맞는 표현을 고르고 문장을 해석하시오.

1 I like science more the / than any other subject.

  » _____

2 Nothing is as wonderful / more wonderful as the blue sky in the fall.

  » _____

3 Who is the last / the most person to make you angry?

  » _____

4 Not a single word he did / did he say to his boss.

  » _____

5 It was in New Zealand that / what I tried bungee jumping for the first time.

  » _____

Unit 10 여러 가지 특수 표현

E 우리말에 맞게 주어진 단어를 바르게 배열하시오.

1 그 열대 우림은 세계의 다른 어떤 곳보다 덥다.

place   than   the tropical forest   other   hotter   in the world   is   any

» _____

2 우리가 여행을 떠나기 전날 밤, 나는 거의 잠을 이루지 못했다.

did   the night   I   before   went on   a trip   we   sleep

» Hardly _____

3 아이를 침대에서 불러내는 데 Dr. Duffy만큼 효과적인 것은 없다.

out of bed   more effective   a child   when   nothing   Dr. Duffy   we   is   than   get

» _____

4 플라톤은 크기가 리비아와 아시아보다 더 큰 섬인 멋진 왕국에 대해 묘사했다.

a wonderful   described   Plato   kingdom   an island   than   greater   in extent

» _____ Libya and Asia.

5 날씨가 따뜻하면 물속에 더 많은 생물들이 산다.

the   living things   warmer   it   in the water   the   is   more   live

» _____

6 그는 내가 가장 좋아하는 악기인 바이올린을 연주했다.

my   he   musical   played   favorite   the violin   instrument

» _____

7 산이 높을수록 더 많은 사람들이 오르길 원한다.

a mountain   the more   to climb   the higher   is   want   it   people

» _____

8 나는 범인이 회사 내부에 있을지도 모른다는 소문을 들었다.

the rumor   I   that   heard   in   might be   the criminal   the company

» _____

F 주어진 표현을 활용하여 문장을 완성하시오.

1 따뜻한 레몬차만큼 감기에 좋은 것은 없다. nothing good

» _____ for a cold.

2 액면가가 높을수록 수명도 길다! the face value

» _____ , the longer the life!

3 세계의 다른 어떤 강도 나일강보다 더 길지 않다. no other

» _____ than the Nile.

4 사람들은 공원에서 책을 읽고, 운동을 하고, 휴식을 취하고 있었다. exercise rest

» People were _____ in the park.

5 프랑스의 수도인 파리는 예술과 패션으로 유명하다. capital famous

» Paris, _____ art and fashion.

6 그 영화는 실제 만화보다 두 배 더 재미있다. twice interesting

» The movie is _____ the original cartoon.

7 John은 그 강에서 물고기를 한 마리도 잡지 못했고, Tom 역시 그랬다. neither

» John didn't catch a fish in the river, _____ .

8 현대의 식습관에 영향을 끼친 것은 단지 더 길어진 근무 시간만은 아니다. hours of work

» _____ that have affected modern eating habits.

memo

바로 읽는 구문 독해

구문

바로
읽는
구문 독해

LEVEL

3

ANSWERS

바로
읽는
구문 독해

Unit 1 주어 자리에 오는 것

01 바로 예문

1 He is very sensitive to weather.
그는 날씨에 매우 민감하다.

2 The last train for Busan has just left the station.
부산행 마지막 열차가 방금 역을 떠났다.

3 One must adjust oneself to a new environment.
사람은 새로운 환경에 적응해야 한다.

4 What makes you so anxious lately?
무엇이 요즘 당신을 걱정스럽게 하나요?

바로 훈련

5 Both Tom's and Mike's birthdays come in October.
Tom과 Mike의 생일이 둘 다 10월에 있다.

6 One of them is mine, and the others are my sister's.
그것들 중 하나는 나의 것이고 나머지는 내 언니의 것이다.

7 This is the same watch as yours.
이것이 당신의 것과 같은 시계이다.

8 The speaker delivered a speech in front of a large audience. 연사는 많은 청중들 앞에서 연설을 했다.

9 Who gave you a hand when you were in trouble?
당신이 곤경에 처했을 때 누가 도움을 주었는가?

02 바로 예문

1 To watch a soccer match makes us really excited.
축구 경기를 시청하는 것은 우리를 정말 신나게 한다.

2 Knitting a sweater was not easy for them.
스웨터를 뜨는 것은 그들에게는 쉽지 않았다.

3 Making wise decisions isn't a simple thing.
현명한 판단을 하는 것은 간단한 일이 아니다.

4 To keep quiet is required in the library.
조용히 있는 것이 도서관에서 요구된다.

바로 훈련

5 Learning Chinese is getting more and more popular.
중국어를 배우는 것은 점점 더 인기를 얻고 있다.

6 To stay in a place for a long time needs patience.
한 장소에서 오래 머무는 것은 참을성이 필요하다.

7 To read after dinner is part of his daily routine.
저녁을 먹은 후 독서를 하는 것은 그의 일상의 일부이다.

8 Traveling around the world was Yunji's longtime dream. 세계를 여행하는 것은 윤지의 오랜 꿈이었다.

9 Not to play computer games too much is necessary.
컴퓨터 게임을 너무 많이 하지 않는 것이 필요하다.

❶ One of the most important Egyptian worship ceremonies / involved / Osiris. **❷ Osiris** / was / the god of land,
이집트의 가장 중요한 숭배 의식 중 하나는 Osiris와 관련되어 있다.   Osiris는 땅과 농업, 식물의 신이었다.
agriculture, and vegetation. He / was also closely associated / with death. According to legend, / Osiris / was
    그는 또한 죽음과도 밀접한 연관이 있었다.   전설에 따르면, Osiris는 그의 형 Set에게
murdered / by his brother, Set. But his wife, Isis, / brought / him / back to life. However, / by the rules of the
살해당했다.   하지만 그의 아내 Isis는 그를 다시 살려내었다.   하지만, 이집트 신들의 규칙에 의해,
Egyptian gods, / Osiris / was not allowed to live / in the land of the living anymore, / since he / was considered dead.
Osiris는 산 자들의 땅에서 더 이상 살 수 없었는데, 그것은 그가 죽은 것으로 여겨졌기 때문이었다.
He / was sent to the underworld, / to watch over the dead / and judge them / when ❸ **they** / entered / the
그는 지하 세계로 보내져, 죽은 자들을 감시하고 그들이 지하 세계로 들어올 때 그들을 재판했다.
underworld. As a result, / the dead / came to be associated / with Osiris, / and he / also became / the symbol of
    그 결과, 죽은 사람들은 Osiris와 연관되게 되었고, 그는 또한 모든 이집트인들이 간직하는 영원한 생명의 상징이 되었다.
eternal life / that every Egyptian held.

정답   ①
문제 해설 (A) 빈칸 앞에는 Osiris가 죽임을 당했다가 자신의 아내에 의해 부활했다는 내용이 오고, 빈칸 뒤에는 Osiris가 죽은 것으로 여겨져서 산 자들의 땅에서는 살 수 없게 되었다는 내용이 오므로, 빈칸에는 역접의 연결어 However(하지만)가 가장 알맞다.
      (B) 빈칸 앞에 Osiris는 지하 세계에서 죽은 자들을 감시하고 재판했다는 내용이 오고, 빈칸 뒤에는 죽은 자들이 Osiris와 연관되게 되었다는 내용이 나오므로, 빈칸에는 결과를 나타내는 As a result(그 결과)가 가장 알맞다.
구문 해설   ❶ 부정대명사 one이 문장의 주어로 쓰였다.
      ❷ 고유명사 Osiris가 문장의 주어이다.
      ❸ 문장의 주어로 쓰인 they는 3인칭 복수형 인칭대명사 주격이다.

2

Americans / often plan / social gatherings / on short notice, / so don't be surprised / if you / get invited / to
미국인들은 종종 갑작스럽게 모임을 계획하기 때문에, 만약 당신이 충분한 예고 없이 누군가의 집이나 영화 관람 또는 야구 경기
someone's home, / or to see a movie or baseball game / without much warning. If the time / is / convenient for you, /
에 초대된다고 하더라도 너무 놀라지는 마라.   만약에 시간이 괜찮다면, 그들의 초대에
accept / their invitation. But if you / are / busy, / don't be afraid to decline / the invitation. Of course, / **❶ to suggest a**
응하라.   하지만 만약 바쁘다면, 초대를 거절하는 것을 두려워하지 마라.   물론 더 나은 시간을 제시하는
better time / may be / polite. If a friend / has invited you / to drop by anytime, / it / is / best / to call before visiting / to
것이 예의바른 행동일 것이다.   만약 친구가 언제든지 들르라고 초대했을 경우에는, 괜찮은지 확인하기 위해 방문하기 전에 연락하
make sure / it is convenient for them. Do not stay too long, / since **❷ overstaying your welcome** / is not / what you
는 것이 가장 좋다.   너무 오래 머물러서 폐가 되는 것이 당신이 원하는 것은 아닐테니, 너무 오래 머무르지
want. Invitations / are usually given / in person or over the telephone. However, for some formal occasions, / they / will
마라.   초대는 보통 직접, 혹은 전화상으로 이루어진다.   하지만, 일부 공식적인 행사에는 초대가 글로 작성되어
be written / and sent through the mail.
우편으로 보내질 것이다.

정답   ①
문제 해설 이 글은 미국에서 갑작스럽게 누군가의 초대를 받았을 때 어떻게 행동해야 하는지에 대해 '조언'하고 있으므로, 글의
           목적으로는 ① '조언하려고'가 가장 알맞다. ② 감사하려고 ③ 불평하려고 ④ 추천하려고 ⑤ 광고하려고
구문 해설 ❶ to부정사구인 to suggest a better time이 문장의 주어이다.
           ❷ 동명사구인 overstaying your welcome이 문장의 주어로서, 동명사구 주어는 단수 취급하여 be동사로 is를 사용하였다.

STEP 1 >>> 구문 Start

pp. 18~19

03 바로 예문

1 That she can speak Spanish isn't surprising.
  그녀가 스페인어를 할 수 있다는 것은 놀랍지 않다.
2 Why the meeting was canceled was unknown.
  그 모임이 왜 취소되었는지는 알려지지 않았다.
3 What Fred said to her was an important secret.
  Fred가 그녀에게 말한 것은 중요한 비밀이었다.
4 Whether she applied for it or not does not matter.
  그녀가 거기에 지원했는지 아닌지는 중요하지 않다.

바로 훈련

5 What moved me most was the boy's kindness.
  나를 가장 감동시킨 것은 그 소년의 친절이었다.
6 Whether you trust me or not makes no difference.
  당신이 나를 신뢰하는지 아닌지는 상관이 없다.
7 That the truth will reveal itself has been believed by
  people.
  진실이 스스로 드러나리라는 것은 사람들에 의해 믿어져 왔다.
8 What I like to do in summer is to go swimming at the
  beach.
  내가 여름에 하기 좋아하는 것은 해변에서 수영하러 가는 것이다.
9 Who will join the club is important.
  누가 그 클럽에 가입할 것인지가 중요하다.

04 바로 예문

1 It is useless to cry over spilt milk.
  엎지른 우유를 두고 우는 것은 소용없다.
2 It is known that Bill is good at playing the cello.
  Bill이 첼로 연주를 잘한다는 것이 알려져 있다.
3 It takes a long time to master a foreign language.
  외국어를 숙달하는 데는 오랜 시간이 걸린다.
4 It isn't clear who wrote this poem.
  누가 이 시를 썼는지는 확실하지 않다.

바로 훈련

5 It is a good safety habit to wear a seat belt.
  안전벨트를 매는 것은 안전을 위한 좋은 습관이다.
6 It is clear that our team will win the final game.
  우리팀이 결승전에서 이길 것이 분명하다.
7 It took three hours to finish my science homework.
  과학 숙제를 끝마치는 데 세 시간이 걸렸다.
8 It was uncertain whether they would agree with us.
  그들이 우리에게 동의할지는 확실하지 않았다.
9 It is a pity that you can't solve that easy math problem.
  당신이 그 쉬운 수학 문제를 풀 수 없다는 것은 유감이다.

3

When do you cry? When you / are / sad, happy, or moved by something? ❶ **What you probably think about** /
당신은 언제 우는가? 슬플 때, 행복할 때, 혹은 무언가에 감동했을 때?　　　　아마도 당신이 생각한 것들은 이런 감정

are / these emotions. Yes, tears / are / the way / we express our sadness, fear, anger, or even joy. When we cry, /
일 것이다.　　　　그렇다, 눈물은 우리가 슬픔이나 두려움, 분노, 심지어는 기쁨을 표현하는 방식이다.　　　우리가 울 때, 스

stress hormones / come out, / making us calm and less stressed. Of course, however, / not all tears / are /
트레스 호르몬이 나와 우리를 진정하게 하고, 스트레스를 덜 받게 한다.　　　하지만 물론 모든 눈물이 다 감정적인 반응은 아니다.

emotional responses. They / are also released / to flush out irritants / like dust, smoke or onions. Additionally, /
　　　　　　그것들은 또한 먼지나 연기 혹은 양파와 같은 자극물을 씻어 내기 위해 배출된다.　　　게다가 눈물은

tears / protect / the eyes. For the most part, / every time a person blinks, / basal tears—protein-rich antibacterial
눈을 보호하기도 한다.　　　주로 사람이 눈을 깜박일 때마다 단백질이 풍부한 항균 액체인 기본 눈물이 나온다.

fluid— / come out. They / keep the eyes moist / and help people / to see more clearly.
　　　　그것들은 눈을 촉촉하게 유지하며 사람들이 더 선명하게 볼 수 있도록 도와준다.

정답　　④

문제 해설　도입부에 감정 표현의 수단으로서 눈물의 기능을 설명하고 중간 이후로 두 가지 기능(자극물을 씻어내는 눈물과 기본 눈물)에
대해 설명하고 있으므로 정답은 ④ '우리가 우는 이유: 눈물의 3가지 기능'이다. ① 당신의 눈을 보살펴라 ② 울음이 건강에
좋은점 ③ 눈물 없이 우는 것이 가능한가? ⑤ 기본 눈물과 감정 눈물의 차이

구문 해설　❶ 관계대명사 what이 이끄는 명사절이 문장의 주어 역할을 한다. what은 the things which로 바꿔 쓸 수 있다.

4

❶ **It** / is a common mistake / **to say** / **that the Great Wall of China** / **is visible** / **from outer space**. Man-
만리장성을 우주 공간에서 볼 수 있다고 말하는 것은 흔히 하는 실수이다.　　　　　　　　　인간이

made objects / start to disappear / after 480 kilometers up. From that distance / you / can barely see / the outline
만든 사물은 480km 상공 이후에는 사라지기 시작한다.　　　그 거리에서 여러분은 만리장성의 윤곽을 거의 볼 수 없다.

of the Great Wall of China. If we / consider / that the distance from Earth to the moon / is around 384,400
　　　　　　　　　지구에서 달까지의 거리가 약 384,400km라는 것을 고려한다면, 그 정도 거리에서 인간이 만든

kilometers, / we / can conclude / that ❷ it would be impossible / **to see any man-made structures from such a**
건축물을 본다는 것은 불가능할 것이라는 결론을 내릴 수 있다.

distance. Astronaut Alan Bean said, / "The only thing / you can see from the moon / is / a beautiful sphere, /
　　　　우주비행사 Alan Bean은 "달에서 볼 수 있는 것이라곤 대부분이 흰색(구름)이고, 일부는 파랑고(대양), 노란 조각(사막)

mostly white (clouds), some blue (ocean), patches of yellow (deserts), / and every once in a while some green
과 어쩌다 한 번 약간의 초록(초목)인 아름다운 구(球)뿐입니다."라고 말했다.

(vegetation)."

정답　　④

문제 해설　인간이 만든 건축물은 우주 공간에서 육안으로 보이지 않는다는 내용이므로, 만리장성이 우주 공간에서 보인다고 말하는 것은
④ '흔한 실수'라고 할 수 있다. ① 좋은 이론 ② 놀라운 사실 ③ 상식 ⑤ 과학적 근거

구문 해설　❶ It이 가주어, to say that the Great Wall of China is visible from outer space가 진주어인 문장이다. to부정사구가 문장의
주어로 쓰일 때에는 보통 가주어 It을 주어 자리에 쓰고 to부정사구는 문장 맨 뒤에 둔다.
❷ It이 가주어, to see any man-made structures from such a distance가 진주어이다.

구문+어법

1 to	**2** Not eating
3 To play	**4** What
5 Whether	**6** that
7 That	**8** is

구문 분석 노트

1 ① 목적어 ② 주어 ③ 오늘
2 ① 주어 ② to부정사구 ③ 한국
3 ① 동사 ② 명사절 ③ 좋아하는지
4 ① 진주어 ② it ③ 끝내는 것

구문+어법 해석 / 해설

1 규칙적으로 운동하는 것은 어렵다.
It은 가주어이고, to exercise regularly가 진주어이다.

2 단것을 너무 많이 먹지 않는 것이 필요하다.
동명사구 Not eating too many sweets가 문장의 주어로 쓰였다.

3 나의 아버지와 체스를 두는 것은 정말 재미있다.
to부정사구 to play chess with my father가 문장의 주어로 쓰였다.

4 내가 가장 원하는 것은 다른 사람들의 따스한 말이다.
I want most가 목적어가 없는 불완전한 절이므로, 관계대명사 What이 오는 것이 알맞다.

5 그들이 그녀를 지지하는지 아닌지가 중요하다.
문맥상 '그들이 그녀를 지지하는지 아닌지'의 뜻이 되도록 Whether를 쓰는 것이 알맞다.

6 우리가 사람들의 목소리를 듣는 것은 중요하다.
It은 가주어이고, that 이하가 진주어이다.

7 Brian이 일을 그만두었다는 것은 유감이다.
Brian quit his job이 완전한 절이므로, 명사절을 이끄는 접속사 That이 오는 것이 알맞다.

8 아기를 잘 돌보는 것은 고된 일이다.
동명사구 주어는 뒤에 단수 동사가 온다.

WORKBOOK

A
1. 대명사   2. to부정사   3. 단수 동사
4. that   5. it   6. 진주어

B
1. 민감한, 섬세한   2. 배출하다   3. 필요한
4. 결론을 내리다   5. 농작물   6. 포함하다
7. 요구하다   8. 영원한
9. (비밀 등을) 드러내다   10. 액체
11. convenient   12. formal   13. kindness
14. master   15. fear   16. function
17. worship   18. decline   19. habit
20. visible

C
1. classify   2. drop   3. barely
4. adjust   5. judge

D
1. was, 사회를 위해 봉사하는 것은 그의 오랜 꿈이었다.
2. To eat, 너무 많은 설탕을 먹는 것은 우리 건강에 좋지 않다.
3. Whether, 당신이 비밀을 지킬 수 있는지 없는지가 내게는 아주 중요하다.
4. that, 그 영화에서 그가 감옥을 탈출한 것은 정말 흥미로웠다!
5. to, 비 오는 날에 쇼핑하러 가는 것은 좋은 생각이 아니다.

E
1. To stay in a place for a long time is boring.
2. Osiris was closely associated with death.
3. If you are busy, don't be afraid to decline the invitation.
4. What she said to me was an important secret.
5. Whether they like it or not is a big issue.
6. It took an hour to finish the homework.
7. Who gave you a hand when you were in trouble?
8. Playing video games late at night harms your health.

F
1. It is a common mistake to say that
2. What you probably think about
3. Whether she likes Chinese food or not
4. This music is often played
5. It took me three months to finish
6. participate in the class actively
7. is clear that they got lost
8. turning off [to turn off] your cell phone in the theater

Unit 2 목적어 자리에 오는 것

01 바로 예문

1 She practices standing on her hands every morning.
그녀는 매일 아침 물구나무 서는 것을 연습한다.

2 They refused to go with their parents.
그들은 부모님과 함께 가기를 거부했다.

3 I forgot to call my mother this morning.
나는 오늘 아침에 엄마에게 전화하는 것을 잊어버렸다.

4 Tom tried not to eat anything after 6 p.m.
Tom은 오후 6시 이후 아무것도 먹지 않으려고 노력했다.

바로 훈련

5 I expect to see my cousin next weekend.
나는 다음 주말에 내 사촌을 만나길 기대한다.

6 I remember promising him to buy a cake on my way home. 나는 집에 가는 길에 그에게 케이크를 사다주기로 약속한 것을 기억한다.

7 My sister planned to learn to cook, but she couldn't.
나의 여동생은 요리를 배울 계획이었으나 그럴 수 없었다.

8 I will finish writing the report on the accident by five.
나는 5시까지 사건 보고서 쓰는 것을 끝낼 것이다.

9 They decided to buy their son a literature collection.
그들은 아들에게 문학 전집을 사 주기로 결정했다.

02 바로 예문

1 He realized that it is the only way to succeed.
그는 이것이 성공할 수 있는 유일한 방법이라는 것을 깨달았다.

2 I know what you did last weekend.
나는 당신이 지난 주말에 한 일을 알고 있다.

3 In the past, people believed that the Earth was flat.
과거에 사람들은 지구가 평평하다고 믿었다.

4 He doesn't remember what he said to Ben yesterday.
그는 자신이 어제 Ben에게 한 말을 기억하지 못한다.

바로 훈련

5 I didn't know that the flower was used as a medicine.
나는 그 꽃이 약으로 쓰인다는 것을 몰랐다.

6 She decided to give her sister what she got from the contest.
그녀는 대회에서 받은 것을 여동생에게 주기로 결정했다.

7 They didn't understand what she wanted to say.
그들은 그녀가 말하려고 하는 것을 이해하지 못했다.

8 Research shows that exercise helps improve our brain activity. 연구는 운동이 뇌 활동을 향상하는 데 도움이 된다는 것을 보여 준다.

9 The news reports that there will be a huge storm tomorrow. 내일 큰 폭풍우가 올 것이라고 뉴스는 보도한다.

1

While blue / is / one of the most popular colors, / it / is / one of the least appetizing. If you / plan / ❶ to lose
파란색은 가장 인기 있는 색 중 하나이지만, 가장 식욕을 덜 자극하는 색 중 하나이다.   만약 당신이 살을 뺄 계획이

weight, / I / suggest / ❷ you put your food / on a blue plate. Or even better than that, / put / a blue light / in
라면 파란 접시에 음식을 담을 것을 제안한다.   혹은 그보다 훨씬 더 좋은 방법으로, 냉장고에 파란 등을

your refrigerator / or dye / your food blue, / and your appetite / will disappear. Why does this work? Blue food / is /
달거나 음식을 파랗게 물들여라. 그러면 여러분의 식욕은 사라질 것이다.   왜 그럴까?   파란색 음식은 자

rare / in nature. There / are / no leafy blue vegetables / and few blue fruits / besides blueberries. Consequently, /
연에서는 드물다. 잎이 무성한 파란 채소는 없고, 블루베리를 제외하고는 파란 과일도 거의 없다.   결과적으로, 우리는

we / don't have / an automatic appetite response / to blue. Furthermore, / our primal nature / avoids / ❸ eating
파란색에 대한 자동적인 식욕 반응을 가지고 있지 않다.   게다가, 우리의 원초적인 본성은 독성이 있는 음식을 먹는 것을

food / that is poisonous. When our earliest ancestors / searched for food, / blue, purple, and black / were / "color
피한다.   최초의 우리 선조들이 음식을 구할 때 파랑, 보라, 검정은 독성이 있는 음식의 '색깔 경고 표시'였다.

warning signs" of toxic food.

정답   ④
문제 해설 자연 상태에 파란색 음식이 흔치 않다는 설명에 이어, 우리는 본능적으로 독성이 있는 음식을 피하는데, 파란색 음식의 경우
        독성이 있다는 내용이 나온다. 이것은 모두 파란색이 왜 식욕을 떨어뜨리는지에 대한 이유로 언급된 것이므로, 빈칸에는 첨가를
        나타내는 연결어 ④ '게다가'가 가장 알맞다. ① 사실 ② 그에 반해서 ③ 결과적으로 ⑤ 예를 들어

❶ 동사 plan은 to부정사를 목적어로 취하는 동사로서, to lose weight가 목적어이다.
❷ 동사 suggest 뒤에는 보통 that이 이끄는 명사절이 목적어로 쓰인다. you put ... 앞에 접속사 that이 생략되었다.
❸ 동사 avoid는 동명사를 목적어로 취하는 동사로서, eating food that is poisonous가 목적어이다.

2

Mega and Zapa / are / two lovely Yorkshire terriers / I have. Last month, / Mega / gave birth / to four puppies.
Mega와 Zapa는 제가 키우고 있는 두 마리의 사랑스러운 요크셔테리어입니다. 지난달, Mega는 네 마리의 강아지를 낳았습니다.
They all / are / so cute and lovely. But I / don't have / enough space / for them. I / am giving them up for adoption /
그들은 모두 아주 귀엽고 사랑스럽습니다. 하지만 저는 그들을 위한 충분한 공간이 없습니다. 저는 그들이 더 나은 환경에서 살 수
so that they / can live / in a better environment. I / want / the puppies / to live in a caring home / and also with a
있도록 입양을 보내려고 합니다. 저는 강아지들이 따뜻한 가정에서, 또한 그들을 잘 돌봐줄 가족과 함께 살기
family / that will take good care of them. I / hope / ❶ **that they** / **can stay in the same home** / because they /
를 바랍니다. 저는 그들이 함께 자랐기 때문에 한 집에 머물 수 있기를 바랍니다.
grew up together. They / are / very energetic / and love to play with each other. If you / want / cute new puppies / to
그들은 무척 활동적이고 함께 장난치는 것을 좋아합니다. 만약 귀여운 새 강아지가 가족이 되길 원
join your family, / please contact me / by e-mail. I / will tell / you / ❷ **what you want to know** / **about them**.
하신다면 이메일로 연락해주세요. 그들에 관해 당신이 알고 싶어하는 것을 말해 드리겠습니다.
Thank you for your time.
시간을 내주셔서 감사합니다.

정답 ①
문제 해설 자신이 키우는 개가 낳은 강아지를 분양하기 위한 광고글로, 분양 조건과 강아지에 대한 정보를 담고 있다.
구문 해설 ❶ 접속사 that이 이끄는 명사절이 동사 hope의 목적어로 쓰이고 있다.
❷ 관계대명사 what이 이끄는 명사절이 문장의 직접목적어 역할을 한다.

STEP 1 >>> 구문 Start

pp. 28~29

03 바로 예문

1 Do you know who wrote *On the Origin of Species*?
당신은 누가 '종의 기원'을 썼는지 아는가?

2 He doesn't know which is better for her present.
그는 그녀의 선물로 어느 것이 더 좋은지 모르겠다.

3 She doubts if he will come to help her.
그녀는 그가 그녀를 도우러 올지 의심스럽다.

4 I wonder whether Sean will come to the party or not.
나는 Sean이 파티에 올지 안 올지 궁금하다.

바로 훈련

5 I'm not sure if it will rain in Jejudo tomorrow.
나는 내일 제주도에 비가 올지 확신할 수 없다.

6 I wonder whether I could ask you a few questions.
내가 당신에게 몇 가지 질문을 해도 될지 궁금하다.

7 Mr. Parker wasn't sure whether he could sell his shoes in Africa or not. Parker씨는 아프리카에서 그의 신발을 팔 수 있을지 없을지 확신하지 못했다.

8 This documentary shows you how animals talk to each other. 이 다큐멘터리는 당신에게 어떻게 동물들이 서로 이야기하는지를 보여 준다.

9 The police are trying to find out where the criminal buried the weapon. 경찰은 범인이 어디에 무기를 묻었는지 찾아내려고 애쓰고 있다.

04 바로 예문

1 You'll find it pleasant to live with dogs.
당신은 개와 함께 사는 것이 즐겁다는 것을 알게 될 것이다.

2 He believes it natural that all life fears death.
그는 모든 생명이 죽음을 두려워하는 것은 당연하다고 믿는다.

3 I considered it useless to continue the discussion.
나는 그 토론을 계속하는 것이 소용 없다고 여겼다.

4 She thinks it possible that Jerry will pass the audition.
그녀는 Jerry가 오디션에 통과하는 것이 가능하다고 생각한다.

바로 훈련

5 We consider it an honor to be a member of the team.
우리는 그 팀의 일원이 되는 것이 명예라고 여긴다.

6 The gentleman found it difficult to make others laugh.
그 신사는 다른 사람을 웃기는 것이 힘들다는 것을 알게 되었다.

7 Make it clear that you won't see such a violent movie again. 그런 폭력적인 영화를 다시는 보지 않을 것임을 분명히 해라.

8 He thinks it possible that aliens exist in outer space.
그는 외계인들이 우주 공간에 존재하는 것이 가능하다고 생각한다.

9 They thought it helpful to set an achievable goal.
그들은 실현 가능한 목표를 정하는 것이 도움이 된다고 생각했다.

3

People / have argued about / ❶ **whether organic food is beneficial or not**. Basically, / organic food / has /
사람들은 유기농 식품이 유익한지 아닌지에 대해 논쟁을 해 왔다.　　　　　　　　　　　기본적으로, 유기농 식품은 비유기농

several benefits / over non-organic food. Organic foods / are produced / without using any harmful chemicals /
식품에 비해 몇 가지 이로운 점이 있다.　　　　　유기농 식품은 벌레나 잡초를 방지하기 위해 어떤 해로운 화학물질도 사용하지 않

for preventing bugs or weeds. So they / are / more nutritious and healthier. The absence of chemicals / in the
고 재배된다.　　　　　그래서 그것들은 영양이 더 풍부하고 건강에도 더 좋다.유기농 식품의 재배 과정에서 화학물질

production of organic foods / results in fewer pollutants in the soil. It / also allows / a lot of plants and animals / to
을 쓰지 않는 것은 결과적으로 토양에 오염 물질을 덜 남긴다.　　　　　　그것은 또한 많은 식물들과 동물들을 살아남게 하여,

survive, / leading to a healthier ecosystem. Now, / you / would be wondering / ❷ **if there are any problems with**
더욱 건강한 생태계를 만든다.　　　　이제 여러분은 유기농 식품을 소비하는 데 어떤 문제점들이 있는지 궁금할 것이다.

consuming them. Organic food / is / expensive and not easily available. Also, / it's / not easy / to keep it fresh
유기농 식품은 비싸고 쉽게 구할 수 있는 것이 아니다.　　　　또한 그것을 오랫동안 신선하게 유지하는 것

long.
은 쉽지 않다.

정답　　④
문제 해설　④ '~인지 궁금하다'라는 의미가 되도록, wondering의 목적어 역할을 하는 명사절을 이끄는 접속사가 와야 한다. 따라서
　　　　　what을 if 또는 whether로 고쳐 써야 한다.
구문 해설　❶ whether organic food is beneficial or not이 전치사 about의 목적어 역할을 한다.
　　　　　❷ if there are any problems with consuming them은 문장의 목적어 역할을 하는 명사절이다.

4

Do you remember / your best friend's phone number? Can you go to a town / you visited last year / without
당신은 가장 친한 친구의 전화번호를 기억하는가?　　　　　스마트폰 지도 없이 작년에 방문했던 마을을 찾아갈 수 있는가?

using your smartphone map? If so, / good for you. If not, / well, / you're not / alone. Many of us in the busy 21st
　　　　　　　　　그렇다면 좋은 일이다.　그렇지 않다면, 뭐, 당신만 그런 것은 아니다.　바쁜 21세기에 우리들 중

century / are finding / ❶ it / more and more unnecessary / **to remember everyday details / like phone numbers.**
많은 이들이 전화번호같이 일상의 사소한 것들을 기억하는 것을 점점 불필요하게 여기고 있다.

It's puzzling / that technology has made our lives / easier and more convenient / while also making us / lazier.
기술이 우리의 삶을 더 쉽고 편하게 만들면서 또한 우리를 더 게으르게 만들었다는 것은 당혹스럽다.

The Internet / has become / our brain's hard drive, / speed dial / has stopped / us / from memorizing friends' phone
인터넷은 우리 뇌의 하드드라이브가 되었고, 단축키는 친구의 전화번호를 외우는 것을 막았으며, GPS는 종이 지도로 길을 찾던 즐

numbers, / and GPS / has taken over / the joy of finding locations with paper maps. Ironically, / we / have
거움을 빼앗아갔다.　　　　　　　　　　　　　　　　　　　　　　역설적이게도, 우리는 '잘

become / "the forgetful generation."
잊는 세대'가 되었다.

정답　　④
문제 해설　과학기술과 인터넷의 발달로 전화번호나 길 찾기 같은 일상적이고 사소한 것들을 기억할 필요가 없어져서 오히려 사람들이 더
　　　　　게으르게 되었다는 내용이다. 따라서 (A)에는 unnecessary(불필요한), (B)에는 lazier(더 게을러진)가 적절하다.
구문 해설　❶ it이 동사 are finding의 가목적어로 쓰였고, to부정사구인 to remember everyday details like phone numbers가
　　　　　진목적어이다.

구문+어법

1 that	2 writing
3 whether	4 meeting
5 to	6 that
7 how	8 that

구문 분석 노트

1 ① 목적어 ② 동명사 ③ 연기했다
2 ① 목적어 ② that ③ 선물
3 ① 목적어 ② 명사절 ③ 진실인지
4 ① 가목적어 ② 진목적어 ③ 어렵다는 것을

구문+어법 해석/해설

1 나는 날씨가 더 더워질 수 있다고 생각했다.
  it이 가목적어, that이 이끄는 명사절이 진목적어이다. 네모 뒤에 「주어+동사」가 있으므로 접속사 that을 써야 한다.
2 그녀는 금요일까지 이 보고서 쓰는 것을 끝낼 것이다.
  동사 finish는 목적어로 동명사를 취한다.
3 나는 그가 진실을 말하는지 의심이 든다.
  whether가 이끄는 명사절은 동사 doubt의 목적어로 '~인지 아닌지'로 해석한다.
4 그는 전에 체육관에서 나를 만난 것을 기억하지 못했다.
  '만난 것을 기억한다'로 해석하여 remember 뒤에 동명사가 오는 것이 알맞다.

5 나는 항상 진실을 말하는 것이 필요하다고 믿는다.
  it은 가목적어이고 to부정사가 진목적어이다.
6 조사에 의하면 학생들이 조용한 곳에서 공부를 가장 잘한다고 한다.
  that 이하는 명사절로 동사 show의 목적어로 쓰였다.
7 사람들은 어떻게 그가 대서양을 건넜는지 물었다.
  how 이하는 동사 asked의 목적어로 쓰인 의문사절이다. '어떻게'를 묻는 것이므로 의문사 how가 알맞다.
8 토마토가 독성이 있는 것으로 여겨졌다는 것을 아니?
  that절은 동사 know의 목적어로 쓰인 명사절이다.

WORKBOOK   pp. 6~9

A
1. to부정사 2. whether 3. 의문사
4. it 5. that절

B
1. 무게 2. 사라지다 3. 그 결과
4. 해로운 5. 연락하다 6. 평평한
7. 드문 8. 논쟁하다 9. 생태계
10. 부재 11. dye 12. primal
13. adoption 14. organic 15. toxic
16. prevent 17. convenient 18. generation
19. memorize 20. nutritious

C
1. storm 2. disappointing 3. semester
4. beneficial 5. century

D
1. to learn, 나의 남동생은 이번 여름에 수영을 배울 계획이다.
2. writing, 그는 올해 말까지 소설 쓰는 것을 끝낼 것이다.
3. that, 연구에 따르면 웃음은 우리 건강에 좋다고 한다.
4. whether, 나는 이 프로그램이 유용한지 아닌지 확신할 수 없다.
5. what, 내가 생각하고 있는 것을 너에게 말해 줄 수 없다.

E
1. I make it a rule to call my grandparents twice a month.
2. People have argued about whether organic food is beneficial or not.
3. Many of us are finding it more and more unnecessary to remember everyday details.
4. I am not sure if it will rain in Seoul tomorrow.
5. We think it possible that humans will disappear in the future.
6. He doesn't know which is better for her present.
7. Don't forget to send me some pictures when you go to Paris.
8. I didn't know why Roy was late for school today.

F
1. practiced swimming
2. agreed to have a meeting
3. who brought the flowers to the classroom
4. doubt if my mother has read
5. that the computer broke
6. useless to continue the discussion
7. avoids eating food that is poisonous
8. I will tell you what you want to know

Unit 3 보어 자리에 오는 것

STEP 1 >>> 구문 Start   pp. 34~35

01 바로 예문

1 Her dream was to be a vet and cure animals.
그녀의 꿈은 수의사가 되어 동물들을 치료하는 것이었다.

2 Mom told me to add a lemon peel to the cake.
엄마는 케이크에 레몬 껍질을 넣으라고 내게 말하셨다.

3 His only joy is listening to music alone.
그의 유일한 즐거움은 혼자 음악을 듣는 것이다.

4 Ms. White encourages her students to read a lot.
White선생님은 학생들에게 독서를 많이 하라고 권장한다.

바로 훈련

5 The key point of his talk is not to drink water before a check-up. 그의 말의 요점은 건강 검진 전에는 물을 마시지 말라는 것이다.

6 The doctor advised me not to eat too many sweets.
의사는 내게 단것을 너무 많이 먹지 말라고 충고했다.

7 One of the activities to relieve my stress was doing some yoga.
내가 스트레스를 푸는 활동 중 하나는 요가를 하는 것이었다.

8 My plan this Friday is watching a horror movie.
이번 금요일 나의 계획은 공포 영화를 보는 것이다.

9 They want their president to improve their country.
그들은 대통령이 자신들의 나라를 개선하기를 바란다.

02 바로 예문

1 Mike looked surprised at the news.
Mike는 그 소식에 놀란 것처럼 보였다.

2 He had his bag stolen on the train for Chicago.
그는 가방을 시카고행 기차에서 도난당했다.

3 I heard Jenny reading her sister a fairy tale.
나는 Jenny가 여동생에게 동화를 읽어 주는 것을 들었다.

4 These highway signs are very confusing.
이 고속도로 표지판들은 매우 헷갈린다.

바로 훈련

5 The two-hour hike was really exhausting.
두 시간의 하이킹은 정말 기진맥진하게 하는 것이었다.

6 He had his rotten tooth pulled out this afternoon.
그는 오늘 오후에 썩은 이를 뽑았다.

7 He heard the radio turned on too loud.
그는 라디오가 너무 크게 켜진 것을 들었다.

8 She sat buried in thought for some minutes.
그녀는 몇 분 동안 생각에 파묻혀 있었다.

9 Tony saw his teacher walking toward the river.
Tony는 선생님이 강 쪽으로 걸어가는 것을 보았다.

STEP 2 >>> 독해력 Upgrade   pp. 36~37

1
Dancheong / is / a beautiful decorative pattern / painted on the wooden architecture of ancient Korea. Ancient
단청은 옛 한국의 목재 건축물에 그려진 아름다운 장식 무늬이다.   옛날 한국
Korean people / constructed / many wooden buildings. Naturally, / they / needed to preserve / the wooden
사람들은 많은 목조 건물을 지었다.   당연히 그들은 목조 건물을 오랫동안 보존할 필요가 있었다.
buildings / for a long time. *Dancheong* / could protect / the wood in the building. This / was / one of the reasons
                               단청은 건물의 목재를 보호할 수 있었다.   이것이 단청을 사용한 이유 중 하나였다.
for using it. The second reason / was / ❶ **to cover the roughness of the wood**. The wood, / which was usually
두 번째 이유는 나무의 거친 표면을 보완하기 위해서였다.   보통 소나무로 된 목재는 갈라지기
from a pine tree, / was likely to be cracked. *Dancheong* / could cover / these cracks. The third reason / was / ❷
쉬웠다.   단청은 이러한 균열을 보완할 수 있었다.   세 번째 이유는 실수를 바로잡기
to correct mistakes. When an architect made a mistake, / the pine tree / could be twisted up and down.
위해서였다.   건축가가 실수를 하면, 소나무는 위아래로 뒤틀릴 수 있었다.
Dancheong / could cover / their mistakes, too.
단청은 건축가들의 실수 또한 보완할 수 있었다.

정답   ③
문제 해설   한국의 목조 건물에 단청을 칠한 이유는 장식적인 목적 이외에 건축물을 오래 보존하고, 목재의 거친 표면을 보완하며,
          건축가의 실수를 보완하기 위함이라는 내용이므로, 이 글의 주제로는 ③이 가장 알맞다.
구문 해설   ❶ to cover 이하와 ❷ to correct 이하는 모두 동사 was의 보어로 쓰인 to부정사구이다.

2

At last, / the circus / opened / at the recreation field / near the river / last night. I / was really looking forward /
마침내 어젯밤 강 근처 놀이 광장에서 서커스가 열렸다.   나는 공연을 보기를 정말 고대하고
to watching the performance. After standing in line for two hours, / I / got into the theater. A large audience /
있었다.   2시간 동안 줄을 선 뒤에 나는 공연장으로 들어갔다.   많은 관중들이 원숭이
watched / a monkey / ride a motorbike / and saw / twenty pretty girls / ❶ **carried around the ring by elephants** /
가 오토바이를 타는 것을 구경했고, 20명의 예쁜 소녀들이 음악에 맞춰 춤추면서 코끼리를 타고 무대를 도는 것을 보았다.
as they danced to the music. I / watched / a girl / get tied up with rope and locked in a box, / and she / escaped /
나는 한 소녀가 줄에 묶여 상자에 갇히는 것을 보았는데, 몇 분 뒤에 그녀는 웃으며 탈출했다.
smiling a few minutes later. When I / saw / a pretty young knife-thrower / ❷ **casually tossing knives at her**
예쁘고 젊은 칼잡이가 그녀의 남편에게 가볍게 칼을 던지는 것을 보았을 때는, 한마디 말은 커녕
husband, / I / couldn't breathe / or say a word. I / laughed a lot too / as I watched a clown ❸ **riding a unicycle** /
숨도 쉴 수 없었다.   나는 광대가 저글링을 하며 외발자전거를 타는 것을 보고는 많이 웃었다.
while juggling.

정답   ②

문제 해설   기다렸던 서커스 공연에서 본 흥미롭고도 재밌는 광경들을 묘사하고 있으므로, 'I'의 심정으로는 ② '신나고 즐거운'이 가장
알맞다. ① 슬프고 우울한 ③ 걱정스럽고 초조한 ④ 지루하고 실망한 ⑤ 놀라고 당황한

구문 해설   ❶ 동사 saw의 목적어는 twenty pretty girls이고 carried around ...가 목적격 보어이다.
❷ a pretty young knife-thrower가 saw의 목적어이고, 현재분사구인 casually tossing ...이 목적격 보어이다.
❸ 동사 watched의 목적어는 a clown이고 현재분사구인 riding ...이 목적격 보어이다.

STEP 1 >>> 구문 Start

pp. 38~39

03 바로 예문

1 The trouble was that he didn't bring his wallet.
문제는 그가 지갑을 가져오지 않았다는 것이었다.

2 This cafe is where we met for the first time.
이 카페는 우리가 처음 만났던 곳이다.

3 This book is exactly what I've been looking for.
이 책이 정확히 내가 찾고 있던 것이다.

4 That is why we must conserve energy.
그것이 우리가 에너지를 보존해야 하는 이유이다.

바로 훈련

5 Queen's Road was where he had a traffic accident
last month.
Queen's Road는 그가 지난달에 교통사고를 당한 곳이었다.

6 My only concern is whether the child has found his
mother or not.
내 유일한 관심사는 그 아이가 엄마를 찾았느냐 아니냐이다.

7 This teddy bear is what my little sister really wants to get.
이 테디베어는 내 여동생이 정말 갖고 싶어 하는 것이다.

8 June 25, 1950 was when the Korean War broke out.
1950년 6월 25일은 한국전쟁이 일어난 때이다.

9 The surprising news was that Jane would go back to
her country.
놀라운 소식은 Jane이 그녀의 나라로 돌아간다는 것이었다.

04 바로 예문

1 Sam felt something fall from the ceiling.
Sam은 무엇이 천장에서 떨어지는 것을 느꼈다.

2 I'll have him weed the flower bed.
나는 그에게 화단의 잡초를 뽑게 할 것이다.

3 She heard her son scream in his room.
그녀는 자신의 아들이 자기 방에서 소리 지르는 것을 들었다.

4 He made his dog run after a ball.
그는 자신의 개에게 공을 쫓아 뛰게 했다.

바로 훈련

5 I felt the house shake violently last night.
나는 어젯밤 집이 심하게 흔들리는 것을 느꼈다.

6 My sister made me buy some snacks on my way
home.
나의 누나는 나에게 집에 오는 길에 과자를 사오게 시켰다.

7 My parents didn't let us read a book in the dim light.
나의 부모님은 우리가 어두운 곳에서 책을 읽지 못하게 하셨다.

8 I saw some items disappear before my eyes.
나는 몇몇 물건들이 내 눈앞에서 사라지는 것을 보았다.

9 Fred watched his friends dance on the street.
Fred는 친구들이 도로에서 춤추는 것을 지켜보았다.

10 · Answers

3

Hotels / come / in all shapes and sizes, / but there are / also "hotels" / run by people from their own homes.
호텔은 온갖 형태와 크기가 있는데, 사람들이 자신의 집에서 운영하는 '호텔'도 있다.

These / are called / bed and breakfast inns, / or simply B&Bs. At a B&B, / the guest / sleeps / in one of the rooms
이 호텔들은 bed and breakfast inns 또는, 단순하게 B&Bs라고 불린다. B&B에서 손님들은 그 집에 있는 방 가운데 한 곳에서 잠을

of the house. The best thing about these inns / is / ❶ that customers / are welcome to make themselves at
잔다. 이런 숙소들의 가장 좋은 점은 손님들이 주방을 포함하여 집의 다른 방에서도 편안하게 있어도 된다는 것이다.

home / in other rooms of the house, / including the kitchen. Many B&Bs / schedule / "social hours" / in the
많은 B&B들은 저녁에 '사교 시간'을 일정에 포함한다.

evening. These times / are / ❷ when guests / can meet other people staying at the inn / or chat with the
이 시간은 손님들이 숙소에 머무는 다른 사람들을 만나거나 주인과 대화를 나눌 수 있는 때이다.

owners. Another nice thing / is / that breakfast / comes / with the room.
또 한 가지 좋은 점은 방마다 아침 식사가 함께 나온다는 것이다.

정답 ②

문제 해설 (A) 주어 These는 hotels run by people from their homes를 가리키고 있으므로, '호텔이 ~라고 불리다'라는 의미가 되어야
한다. 따라서 수동태 문장을 만드는 과거분사 called가 알맞다. (B) 주어가 inns가 아니라 The best thing이므로 단수형 동사
is가 알맞다. (C) 주어 Another nice thing의 보어 역할을 하는 명사절을 이끄는 접속사가 와야 하는데, '다른 좋은 점은 ~라는
것이다'라는 의미가 되어야 하므로, that이 알맞다.

구문 해설 ❶ that이 이끄는 명사절이 문장의 보어 역할을 한다.
❷ when guests can meet ...는 선행사가 생략된 형태의 관계부사절로서, 문장의 보어 역할을 한다.

4

Today, / CCTV / is considered / the best solution / in reducing crime. It / watches / people in stores, banks,
오늘날 CCTV는 범죄를 줄이는 가장 좋은 해결책으로 여겨진다. 그것은 상점, 은행, 학교, 심지어 엘리베이터

schools, and even in elevators. When thieves / try to steal money / from a bank, / CCTV / records them / and
안에서 사람들을 감시한다. 도둑이 은행에서 돈을 훔치려 할 때, CCTV는 그들을 녹화하여 경찰에게 그들에 관한 가장

gives the police / the most important information about them. If there / is / CCTV / in apartment buildings, /
중요한 정보를 제공한다. 아파트 건물에 CCTV가 있으면 사람들은 밤에 더 안전

people / feel safer / at night. However, / CCTV / often makes / us / ❶ feel uncomfortable. When we / think /
함을 느낀다. 하지만 CCTV는 종종 우리가 불편함을 느끼도록 만든다. 우리가 먹고, 자고, 혹

someone is watching us / ❷ eat, sleep, or talk with friends, / we / cannot do / anything. Some people / use /
은 친구와 이야기하는 것을 누군가가 감시하고 있다고 생각하면, 우리는 아무것도 할 수 없다. 어떤 사람들은 CCTV를

CCTV / in bad ways. They / record / other people's private lives / and use / them for bad purposes. Although
나쁜 수단으로 사용한다. 그들은 다른 사람의 사생활을 녹화하여 나쁜 의도로 그것을 사용한다. 비록 CCTV

CCTV / plays an important role / in reducing crime, / it / can cause / other crimes.
가 범죄를 줄이는 데 중요한 역할을 하지만, 그것이 다른 범죄를 유발하기도 한다.

정답 ⑤

문제 해설 CCTV는 범죄를 감소시키는 반면, 타인의 사생활을 녹화하여 나쁜 용도로 사용하는 부작용이 있다는 내용이므로, ⑤가 요지로
가장 알맞다.

구문 해설 ❶ makes가 사역동사이므로 목적격 보어로 원형부정사 feel uncomfortable이 사용되었다.
❷ 지각동사 is watching의 목적어는 us 목적격 보어는 원형부정사 형태의 eat, sleep, or talk with friends가 사용되었다.

구문+어법

1 run	2 taking
3 whether	4 embarrassed
5 crying	6 to enter
7 sing	8 what

구문 분석 노트

1 ① 동사 ② to부정사 ③ 시작하라고
2 ① 주격 보어 ② 과거분사 ③ 남아 있었다
3 ① 주격 보어 ② 선행사 ③ 이유
4 ① 목적어 ② 원형부정사 ③ 허락했다

구문+어법 해석/해설

1 나는 내 개가 공을 쫓아 뛰게 했다.
「사역동사+목적어+목적격 보어」 구조이므로, 원형부정사를 보어로 써야 한다.

2 나의 취미는 동물들을 돌보는 것이다.
be동사 뒤에 쓰인 주격 보어이므로 동명사 형태가 알맞다.

3 문제는 그녀가 그것을 좋아할지 아닐지이다.
be동사 뒤에 명사절이 보어로 쓰이는 것으로, '~인지 아닌지'의 의미를 가진 접속사 whether가 알맞다.

4 그녀는 그 소식을 듣고 당황스러워졌다.
'그녀가 당황한' 것이므로, 수동의 의미를 가진 과거분사 형태가 알맞다.

5 나는 한밤중에 고양이가 우는 것을 들었다.
「지각동사+목적어+목적격 보어」 구조이므로, 원형부정사나 현재분사를 써야 한다.

6 나의 형은 내가 자기 방에 들어가게 허락하지 않았다.
「allow+목적어+to부정사」는 '(목적어)가 ~하도록 허락하다'라는 의미이다.

7 그들은 아들이 무대에서 노래하는 것을 지켜보았다.
「지각동사+목적어+목적격 보어」 구조이므로, 원형부정사나 현재분사를 써야 한다.

8 핫초콜릿은 내가 정말 마시고 싶은 것이다.
'내가 마시고 싶은 것'이라는 의미이므로 관계대명사 what이 알맞다. how는 '~하는 방법'이라는 뜻이다.

WORKBOOK
pp. 10~13

A

1. 주격	2. 동명사	3. 관계부사절
4. 목적격	5. to부정사	6. 원형부정사

B

1. 손님, 고객	2. 껍질	3. 권장하다
4. 극심하게	5. 진을 빼는	6. 장식용의
7. 건설하다	8. 보존하다	9. 개선하다
10. 가볍게 던지다	11. run	12. concern
13. twist	14. crack	15. gloomy
16. audience	17. chat	18. breathe
19. purpose	20. crime	

C

1. unsettled	2. cure	3. disappear
4. conserve	5. relieve	

D

1. to eat, 나의 엄마는 나에게 건강에 좋은 음식을 먹으라고 권하신다.
2. put, 나는 노부인이 책상 위에 이상한 것을 놓는 것을 보았다.
3. where, 이 식당은 그가 작년에 시간제 근로자로 일했던 곳이다.
4. that, 좋은 소식은 그의 병이 치료될 수 있다는 것이다.
5. blowing, 우리는 산에서 시원한 바람이 불어오는 것을 느낄 수 있었다.

E

1. I saw Tom play the guitar on the stage.
2. The second reason was to cover the roughness of the wood.
3. CCTV often makes us feel uncomfortable.
4. I will let you go home before five o'clock.
5. My hobby is drawing pictures of wild animals.
6. I failed to persuade Tomy to accept my offer.
7. This is how she became a millionaire.
8. Her concern is whether she can open her own bakery or not.

F

1. was listening to music alone
2. I felt the house shake violently
3. that breakfast comes with the rooms
4. A large audience watched a monkey ride
5. I sat buried in thought
6. exactly what I've been looking for
7. didn't let me enter
8. advises middle school students to read a lot

Unit 4 시제와 수동태

01 바로 예문

1 I take a shower before going to bed every night.
나는 매일 밤 잠자리에 들기 전에 샤워를 한다.

2 They looked at the stars through a telescope.
그들은 망원경을 통해 별을 보았다.

3 The number of readers will increase in the near future.
가까운 미래에 독자 수가 증가할 것이다.

4 The singer will release her second album in April.
그 가수는 4월에 두 번째 앨범을 낼 것이다.

바로 훈련

5 Will you go fishing with me next Friday?
다음주 금요일에 나와 함께 낚시하러 갈래?

6 Paul bought a new laptop the day before yesterday.
Paul은 그저께 새 휴대용 컴퓨터를 샀다.

7 I will tell you if I find any good examples of the problem.
만약 내가 그 문제의 좋은 예를 찾는다면 당신에게 말해 주겠다.

8 James didn't come to the lecture last Monday.
James는 지난 월요일에 강연에 오지 않았다.

9 My roommate always tidies up the stuff before leaving the room.
내 룸메이트는 방을 나가기 전에 항상 물건을 정리한다.

02 바로 예문

1 What were you doing when I called you?
내가 전화했을 때 넌 뭐 하고 있었니?

2 It will be snowing when you get to the airport.
당신이 공항에 도착하면 눈이 내리고 있을 것이다.

3 Wendy has been to New York twice before.
예전에 Wendy는 뉴욕에 두 번 다녀온 적이 있다.

4 I had explained the situation before they asked.
나는 그들이 묻기 전에 상황을 설명했었다.

바로 훈련

5 Have you ever been to the beach near the East Sea?
당신은 동해 근처의 해변에 가 본 적이 있나요?

6 Sandra has studied law since she entered university.
Sandra는 대학에 들어간 이후 계속 법학을 공부해 왔다.

7 He read the book which he had bought two days before. 그는 이틀 전에 구입한 책을 읽었다.

8 If I see the movie once more, I will have seen it three times.
내가 그 영화를 한 번 더 보면 그것을 세 번 보는 것이 될 것이다.

9 My uncle will be harvesting the potatoes this coming fall.
우리 삼촌은 다가오는 가을에 감자를 수확하고 계실 것이다.

1

The Sapporo Snow Festival ❶ **is** / one of Japan's largest winter events. Every winter, / about two million people /
삿포로 눈 축제는 일본의 가장 큰 겨울 행사 중 하나이다.   매년 겨울, 약 2백만 명의 사람들이 아름다운 눈
come to Sapporo / to see the beautiful snow statues and ice sculptures. It first ❷ **began** / right after World War II.
동상과 얼음 조각을 보기 위해 삿포로로 온다.   그것은 2차 세계 대전 직후에 처음 시작되었다.
Since Japan ❸ **had been seriously damaged** / by the war, / Japanese citizens needed / something to soothe
전쟁으로 인해 일본이 심각하게 손상되었기 때문에, 일본 시민들은 자신들의 몸과 마음을 달랠 무엇인가가 필요했다.
their body and mind. Students in Sapporo / started making snow sculptures / at the park. Soon / the festival was
삿포로의 학생들은 공원에서 눈으로 조각을 만들기 시작했다.   곧 축제가 열렸고, 점점 더
held, / and more and more people / took part in making snow sculptures. Since then, / it ❹ **has grown** / into a
많은 사람들이 눈 조각을 만드는 데 참여했다.   그 이후로 그것은 큰 축제로 발전했다.
huge festival.

정답   ②

문제 해설   해마다 약 2백만 명의 사람들이 삿포로의 눈 동상과 얼음 조각을 보기 위해 방문한다고 했으므로, ②는 글의 내용과 일치하지 않는다.

구문 해설   ❶ 현재의 사실이나 상태를 나타내는 현재시제(is)가 사용되었다.

❷ 과거의 역사적 사실은 과거시제로 나타낸다.

❸ 주절의 과거시제(needed)보다 앞서 일어난 일을 말하므로 과거완료형인 had been seriously damaged로 나타낸다.

❹ has grown은 과거로부터 현재까지 계속되는 것을 나타내는 현재완료이다.

2

When Mattie Stepanek was / only six years old, / he had already written / several hundred poems. At that
Mattie Stepanek이 겨우 여섯 살일 때, 그는 이미 수백 편의 시를 썼다.   그 당시

time, / he ❶ was suffering / from a rare disease. One day, / the Children's Wish Foundation / gave Mattie a
에 그는 희귀 질병을 앓고 있었다.   어느 날 Children's Wish Foundation에서 Mattie에게 컴퓨터를 주었다.

computer. Since then, / he has been able to share / his poems online. "Little Mattie has acquired / more wisdom
              그 이후로 그는 온라인을 통해서 그의 시를 공유할 수 있게 되었다.   "어린 Mattie는 그의 짧은 인생 동안 우리가 수십

in his short life / than most of us do / after decades of living. Through his poetry, / he expresses wisdom / in a
년을 살면서 얻은 지혜보다 더 많은 지혜를 얻었습니다.   시를 통하여, 그는 누구에게나 감동을 주는 방법으로 지혜를

way / that touches everybody's heart. Mattie ❷ has inspired many people / to overcome every obstacle / they
표현합니다.   Mattie는 많은 사람들에게 그들이 겪게 될지도 모르는 모든 장애물을 극복하고 그들의

may face / and strive for their goals. Thank you, Mattie!" Jim Hawkins, Mattie's doctor, said / as he called Mattie
목표를 위해 노력하도록 영감을 주었습니다. 고마워요, Mattie!"   Mattie를 영웅으로 칭하면서 그의 주치의인 Jim Hawkins는

a hero.
말했다.

정답 　　①

문제 해설　Mattie가 여섯 살 때 이미 그는 그 이전부터 수백 편의 시를 써왔다는 의미이므로 ① 현재완료(has already written)를
　　　　　과거완료(had already written)로 고쳐 써야 한다.

구문 해설　❶ was suffering은 과거에 진행 중이던 동작을 나타내는 과거진행형이다.
　　　　　❷ 과거로부터 현재까지 이어지는 동작을 나타낼 때 현재완료(has inspired)를 사용한다.

STEP 1 》》 구문 Start

pp. 48~49

03 바로 예문

1 The pen was invented by a 10-year-old girl.
그 펜은 열 살짜리 소녀에 의해 발명되었다.

2 The satellite will be launched in 2025.
그 인공위성은 2025년에 발사될 것이다.

3 He is loved by everybody because he is friendly.
그는 상냥해서 모든 사람들의 사랑을 받는다.

4 My bike is being repaired at the moment.
내 자전거는 바로 지금 고쳐지고 있다.

바로 훈련

5 The thief was being chased by the police.
그 도둑은 경찰에 의해 추적당하는 중이었다.

6 The book will be published next week.
그 책은 다음주에 출판될 것이다.

7 The spectators were very impressed by their play in
the field.
관중들은 경기장에서 그들의 경기하는 모습에 매우 감명 받았다.

8 The trees have been grown for 10 years by my
grandfather.
나무들은 우리 할아버지에 의해 10년 동안 길러졌다.

9 The machine will have been fixed by the repairman in
two hours.   그 기계는 두 시간 뒤에는 수리공에 의해서
고쳐져 있을 것이다.

04 바로 예문

1 The mistake was not made by Harry.
그 실수는 Harry에 의해 저질러지지 않았다.

2 By whom was the room cleaned this morning?
오늘 아침 방은 누구에 의해 청소되었니?

3 The teapot is being filled with hot water.
그 찻주전자는 뜨거운 물로 채워지고 있다.

4 The experiment was laughed at by people.
그 실험은 사람들에게 비웃음 당했다.

바로 훈련

5 The weak boy was made fun of by his classmates.
그 약한 소년이 급우들에게 놀림을 당했다.

6 Where was the automobile industry started?
자동차 산업은 어디에서 시작되었을까?

7 What time was the train scheduled to arrive?
기차가 몇 시에 도착하기로 예정되어 있나요?

8 Kate will not be alarmed by anything.
Kate는 무엇에도 놀라지 않을 것이다.

9 The match was put off because of the rain.
시합이 비로 인해 연기되었다.

14 · Answers

3

In 1896, / the first X-ray photograph / was accidentally taken / by a German scientist, Wilhelm Konrad
1896년에 최초의 X-ray 사진이 독일 과학자 Wilhelm Konrad Roentgen에 의해 그가 전기 실험을 하던 중 우연히 찍혔다.
Roentgen, / while he was experimenting / with electricity.

(C) It was / of the bones / in his wife's hand. Soon after he built / the first X-ray machine, / hospital operations / ❶
그것은 그의 아내의 손에 있는 뼈였다.   그가 최초의 X-ray 기계를 만든 후 곧 병원에서의 수술은 훨씬 안전하게 되었다.
were made much safer. For the first time, / doctors could see / inside people's bodies / before they cut them
               처음으로 의사들은 환자의 몸을 열기 전에 그 안을 들여다 볼 수 있게 되었다.
open.

(A) His invention is still used / every day / by doctors and dentists. Since the introduction of computer imaging in
그의 발명은 의사와 치과의사들에 의해 여전히 매일 사용된다.   1970년대 컴퓨터 영상이 도입된 이후로 X-ray 기계
the 1970s, / X-ray machines ❷ **have been used** / for other things, too.
들은 다른 것에도 또한 사용되어 왔다.

(B) In factories, / many faults in new products / ❸ **are found** every day / using X-rays. At airports, / X-ray
공장에서는 매일 X-ray를 이용하여 새 제품의 결함이 발견된다.   공항에서는 X-ray 탐지
scanners can find / illegal items / without opening people's bags. There is / no doubt / that new uses for
기가 사람들의 가방을 열지 않고도 불법 물품들을 찾아낼 수 있다.   X-ray의 새로운 용도가 앞으로 발전할 것임이
X-rays / ❹ **will be developed** / in the future.
확실하다.

정답   ④
문제 해설 X-ray의 발견과 발전'이라는 주제로 '시간' 순서로 글이 이어지는 것이 자연스럽다. 주어진 글 뒤에 'X-ray의 최초 이용'인
(C)가 오고, '오늘날에도 이어지는 X-ray의 의학적 용도'를 설명하는 (A), 마지막으로 '다른 용도 및 미래의 발전'을 설명하는
(B)가 이어져야 한다.
구문 해설 ❶ were made는 과거시제의 수동태 문장이다.
         ❷ have been used는 계속적 용법의 현재완료와 수동태가 결합한 형태이다.
         ❸ are found는 현재시제의 수동태 문장이다.
         ❹ will be developed는 미래(in the future)를 나타내는 미래시제의 수동태이다.

4

Few people / have never heard of "Hollywood," / a world famous name / in the movie industry. This district of
영화 산업에서 세계적으로 유명한 이름인 '할리우드'에 대해 들어 본 적이 없는 사람은 거의 없을 것이다.   로스앤젤레스의
Los Angeles has / the well-known Hollywood sign. In fact, / it is said / that this sign was built / in 1923 / by real
이 지역은 유명한 할리우드 표지판이 있다.   사실 이 표지판은 1923년에 부동산업자들과 투자자인 Harry Chandler
estate agents and investor Harry Chandler / for the purpose of advertising. But at that stage / they were not
에 의해 광고 목적으로 세워졌다고 한다.   하지만 그 당시에 그들은 이 건축물이 그
aware / that this construction would become a legend / in itself. At first, / the sign used to read / "Hollywood
자체로 전설이 될 것이라는 것을 몰랐다.   처음에 그 표지판은 '할리우드 땅'으로 쓰여 있었다.
Land." But in 1949, / "Land" ❶ **was gotten rid of** / and only "Hollywood" remained. Today, / the sign ❷ **is taken**
하지만 1949년에 '땅'이 제거되었고 '할리우드'만이 남게 되었다.   오늘날 그 표지판은 1995년에 설
care of / by an organization called "Hollywood Sign Trust," / which was formed / in the year 1995.
립된 '할리우드 표지판 신탁'이라는 단체에 의해 관리되고 있다.

정답   ⑤
문제 해설 ⑤ 수동태 문장의 주어 the sign은 원래 동사구 take care of(~을 돌보다)의 목적어이므로, ⑤ is taken care를 is taken care
ofra 고쳐 써야 한다.
구문 해설 ❶ 원래 (people) got rid of "Land"를 수동태로 바꾸어 was gotten rid of가 되었다.
         ❷ 능동태의 문장은 Today, an organization ... takes care of the sign이므로 수동태로는 is taken care of가 된다.

STEP 3 >>> 구문Master

구문+어법

1	has	2	had
3	been	4	were taken
5	working	6	be taking
7	to be tidied	8	broken

구문 분석 노트

1 ① 현재 ② 현재시제 ③ 죽는다
2 ① 완료형 ② 과거 ③ 왔다
3 ① 과거시제 ② 주어 ③ 시작되었다
4 ① 수동태 ② 동사구 ③ 칭찬을

구문+어법 해석/해설

1 그 나라는 일 년 내내 아름다운 사계절을 가진다.
   일반적인 사실이나 진리는 현재시제로 나타낸다.
2 그가 정류장에 도착했을 때, 버스는 막 떠났다.
   버스정류장에 도착한 것보다 버스가 떠난 것이 더 과거이므로 과거완료를 써야 한다.
3 당신은 새로운 놀이동산에 가 본 적이 있는가?
   경험을 나타내는 현재완료 have been to가 와야 한다.
4 쌍둥이는 그들의 삼촌에 의해 잘 보살펴졌다.
   의미상 take care of의 수동태가 쓰이는 것이 알맞다.
5 그는 10년 동안 그 극장에서 일해 왔다.
   '10년 동안 일해 온' 것이므로 현재완료(has worked) 또는 현재완료진행(has been working)으로 나타내야 한다.
6 우리는 12시간 후면, 아름다운 해변에서 휴식을 취하고 있을 것이다.
   미래에 진행 중인 일을 나타내므로 미래진행형이 알맞다.
7 그 방은 즉시 정돈되어야 한다.
   주어가 the room이므로, '치워져야 한다'는 의미로 수동태가 오는 것이 알맞다.
8 내가 가장 좋아하는 컵이 누구에 의해서 깨졌는가?
   '컵이 깨졌다'는 의미이므로 수동태를 써야 한다.

WORKBOOK

A 1. had+p.p.　2. will　3. had
4. not

B 1. 심각하게　2. 조각　3. 거대한
4. 몇몇의　5. 습득하다, 얻다　6. 10년간
7. 극복하다　8. ~을 제거하다
9. ~으로 고통 받다　10. ~에 참가하다　11. wisdom
12. obstacle　13. strive　14. accidentally
15. experiment　16. illegal　17. operation
18. legend　19. hold　20. damage

C 1. chased　2. soothe　3. released
4. harvest　5. inspired

D 1. known, 이 도서관은 세계에서 가장 큰 건축물로 알려져 있다.
2. covered, 그 책상은 서류로 뒤덮혀 있었다.
3. have, 내가 이 책을 한 번 더 읽으면, 나는 그것을 다섯 번 읽은 것이 될 것이다.
4. is looked, 그 강아지는 마을 사람 모두에 의해 보살핌을 받았다.
5. Have, 너는 전에 제주도에 가 본 적이 있니?

E 1. Will you go shopping with me next weekend?
2. they are practicing the song for the contest.
3. The Sapporo Snow Festival has grown into a huge festival.
4. Mattie inspired many people to overcome every obstacle they may face.
5. My computer is being repaired by my sister.
6. The wine had not been tasted by anyone before then.
7. I had prepared the food before they arrived.
8. This jacket was taken off by my little brother.

F 1. The Earth is round and turns
2. I have eaten cereal for breakfast
3. Was this flute played by
4. He got lost in New York
5. will be having a snowball fight
6. Don't leave your locker unlocked
7. have been used for other things,
8. was gotten rid of

Unit 5 조동사

01 바로 예문

1 It may rain heavily in Seoul tomorrow.
내일 서울에 비가 많이 올지도 모른다.

2 The actor can memorize all his lines in the script.
그 배우는 대본에 있는 그의 대사를 모두 외울 수 있다.

3 Can you believe it weighs 82 kilograms?
이것이 82킬로그램이라는 것이 믿어지니?

4 She must be a genius with good hand skills.
그녀는 좋은 손재주를 가진 천재임에 틀림없다.

바로 훈련

5 He couldn't eat lunch today because he was busy working.
그는 오늘 일을 하느라 바빠서 점심을 먹을 수 없었다.

6 It might be Tom who called us late last night.
어젯밤 늦게 전화한 사람은 Tom일지도 모른다.

7 She must be tired because she worked all day.
그녀는 온종일 일을 했으므로 틀림없이 피곤할 것이다.

8 Rosa was able to play the flute when she was young.
Rosa는 어렸을 때 플루트를 연주할 수 있었다.

9 Jack may get upset if you tell him the truth.
당신이 그에게 사실을 말하면 Jack은 화를 낼지도 모른다.

02 바로 예문

1 We have to pass a test before we get a driver's license. 운전면허를 따기 전에 시험을 통과해야 한다.

2 Drivers must follow the traffic rules.
운전자들은 교통 규칙을 지켜야 한다.

3 I need to copy this document for the meeting.
나는 회의를 위해 이 서류를 복사해야 한다.

4 We should be thankful for her support.
우리는 그녀의 지원에 감사해야 한다.

바로 훈련

5 We should stand in line when we get on the bus.
우리는 버스를 탈 때 줄을 서야 한다.

6 People with high cholesterol need to eat low-fat foods.
콜레스테롤 수치가 높은 사람들은 저지방 식품을 먹어야 한다.

7 He has to wear a red shirt to cheer for the team.
그는 그 팀을 응원하기 위해 빨간색 셔츠를 입어야 한다.

8 You don't have to bring lunch to the field trip.
당신은 소풍에 점심을 가져올 필요가 없다.

9 You must not swim here because the river is deep.
강이 깊으므로 당신은 여기에서 수영을 해서는 안 된다.

1

Until three years ago, / Alex was an engineering student. / But he found it boring / and decided to change
3년 전까지만해도 Alex는 공학도였다.　　　　　　　　　　　　　하지만 그는 그것이 재미없게 느껴져서 직업을 바꾸기로

careers. He has always loved children, / and now he is a qualified male nanny / to 18-month-old Jack. But he
결심했다. 그는 늘 아이들을 좋아해서, 지금은 18개월 된 Jack의 자격을 갖춘 남자 보모이다.　　　　그러나 그에게는

has had / some problems. "There is prejudice. A lot of people don't think / that a man ❶ **can** look after a child / as
여러 가지 어려움이 있었다.　'편견이 있어요.　　많은 사람들이 남자는 여자만큼 아이를 잘 돌볼 수 없다고 생각해요.

well as a woman. Or they think / I ❷ **must** be a strange man. Some nanny agencies / didn't want me at all," / he
　　　　　　혹은 그들은 내가 이상한 사람임에 틀림없다고 생각합니다.　어떤 보모 파견업체들은 아예 저를 원하지 않았습

said. "Some parents didn't want a man / looking after their children. I ❸ **had to** wait / nearly a year / for my first
니다."라고 그는 말했다.　"어떤 부모들은 남자가 그들의 아이들을 돌보는 것을 원치 않았어요.　저는 첫 일을 구하기까지 거의 일 년

job." But he likes his new career / and has some advice for other men / who want to work in childcare. "You ❹
을 기다려야 했습니다."　하지만 그는 자신의 새 직업을 좋아하며 육아 관련 일을 원하는 다른 남자들에게 조언을 합니다. "도전하

should go for it! Ignore the prejudice!"
세요!　　　　편견은 무시하세요!"

정답   ②
문제 해설 빈칸 뒤 남자의 말, '사람들이 남자는 여자만큼 아이를 돌보지 못한다고 여기고, 나를 이상한 사람으로 생각하기도 한다'를 통해
　　　　　 사람들이 남자 보모에 대한 ② '편견'이 있음을 알 수 있다. ① 호기심 ③ 불공평 ④ 규제 ⑤ 무관심
구문 해설 ❶ 조동사 can은 능력이나 가능을 나타낸다. ❷ 조동사 must는 강한 추측을 나타낸다.
　　　　　 ❸ 조동사 have to는 강한 의무나 필요를 나타낸다. ❹ 조동사 should는 충고나 의무를 나타낸다.

2

At what age / ❶ **should** a child learn / to use a computer? The answer seems to depend / on whom you ask.
어린이는 몇 살 때 컴퓨터 사용하는 법을 배워야 할까?   그 답은 누구에게 묻느냐에 달려 있는 것 같다.

Some early childhood educators say, / "the earlier, the better." They believe / that in modern society, / computer
몇몇 조기 교육자들은 "빠르면 빠를수록 더 좋다."라고 말한다.   그들은 현대사회에서 컴퓨터 능력은 읽기나 계산과 같이

skills are a basic necessity / just like reading and counting / and therefore, / children should start using and
기본적으로 필요한 능력이며, 그러므로, 아이들은 컴퓨터를 사용하고 가지고 놀기 시작해야 한다고 믿는다.

playing with computers. But other educators believe / computers ❷ **may** have a negative effect / on the mental
                        그러나 다른 교육자들은 컴퓨터가 어린이들의 정신적·육체적 발달에 부정적인 영향을 끼칠지도 모른다

and physical development of children. They say / children do not use their imagination enough / because the
고 믿는다.   그들은 컴퓨터 화면이 모든 것을 보여 주기 때문에 아이들이 자신들의 상상력을 충분

computer screen shows them everything. Also, a child/who plays alone on a computer / may not learn / how to
히 활용하지 않는다고 말한다.   또한, 혼자 컴퓨터를 가지고 노는 아이는 다른 아이들과 상호작용하는 방법을 배우

interact with other children.
지 못할 수도 있다.

정답   ②
문제 해설   (A) 컴퓨터 교육의 적정 시기에 대한 일부 조기 교육자들의 답변에 해당하는 문장이므로, 조동사 should가 알맞다. (B) 컴퓨터
         조기 교육에 반대하는 내용이므로, 컴퓨터로 혼자 노는 아이들은 다른 아이들과 상호작용하는 방법을 배우지 '못할 수도
         있다'는 의미가 되어야 한다. 따라서, may not이 알맞다.
구문 해설   ❶ 조동사 should가 의무를 나타내고 있다.
         ❷ 조동사 may는 약한 추측을 나타내어 '~일지 모른다'의 의미이다.

STEP 1 ≫ 구문 Start

03 바로 예문

1 You had better start planning the trip now.
   당신은 지금 여행을 계획하기 시작하는 게 낫다.

2 She used to climb the mountain every Sunday.
   그녀는 일요일마다 그 산에 오르곤 했다.

3 I would rather stay at home than go to the movies.
   난 영화 보러 가는 것보다 집에 있는 게 더 낫겠다.

4 He would give the children candies to please them.
   그는 아이들을 즐겁게 하려고 그들에게 사탕을 주곤 했다.

바로 훈련

5 There used to be a tall tree in front of the library.
   도서관 앞에 큰 나무가 있었다.

6 You had better not take a bath when you have a cold.
   감기에 걸렸을 때에는 목욕을 하지 않는 게 더 낫다.

7 I would rather do it on my own than rely on others.
   나는 다른 사람에게 의존하기보다 나 스스로 하겠다.

8 When my sister was in high school, she would travel
   by train. 우리 누나가 고등학생이었을 때, 그녀는 기차로
   여행을 하곤 했다.

9 You had better unplug the toaster before you try to
   clean it. 토스터를 청소하기 전에 플러그를 뽑는 것이 좋다.

04 바로 예문

1 My sister must have been in the shopping mall then.
   나의 언니는 그 때 쇼핑몰에 있었던 게 틀림없다.

2 She cannot have painted this picture alone.
   그녀가 혼자서 이 그림을 그렸을 리가 없다.

3 You should have listened to your friends.
   당신은 친구들의 말을 들었어야 했다.

4 He might have forgotten the appointment.
   그는 약속을 잊어버렸을지도 모른다.

바로 훈련

5 He shouldn't have entered the room without permission.
   그는 허락 없이 그 방에 들어가지 말았어야 했다.

6 It must have taken lots of time to complete the
   recording.
   녹음을 완성하는 데에 많은 시간이 걸렸음에 틀림없다.

7 I should have read more books when I was younger.
   나는 어렸을 때 책을 더 많이 읽었어야 했다.

8 The file may have been deleted after the accident.
   그 파일은 사고 후에 삭제되었을지도 모른다.

9 She cannot have done such a thing at the meeting.
   그녀가 회의에서 그런 짓을 했을 리가 없다.

3

One day two frogs fell / into a very deep hole. They tried to get out, / but had no success. So, they began to
어느 날 개구리 두 마리가 깊은 구멍에 빠졌다.   그들은 빠져나오려고 노력했지만, 성공하지 못했다.   그래서 그들은 다른

shout / until other frogs heard them / and came to help. The other frogs looked over into the hole / and said / it
개구리들이 듣고 도와주러 올 때까지 소리치기 시작했다.   다른 개구리들이 그 구멍을 살펴보고는 너무 깊어서 도와 줄 수가

was too deep to help. But both frogs kept jumping up / for hours. The other frogs kept shouting, / "You ❶ **would**
없다고 말했다.   하지만 두 개구리는 몇 시간 동안 계속 뛰어올랐다.   다른 개구리들은 "그냥 포기하는 게 차라리 나아. 가망

rather give up. There is no hope!" One of the two frogs / gave up and died. The other didn't stop jumping. Finally
이 없어"라고 소리 질렀다.   두 개구리 중 한 마리는 포기하고 죽었다.   다른 한 마리는 뛰어오르기를 멈추지 않았다.

the frog jumped / so high / that he ❷ **was able to** get out of the hole. He thanked the other frogs / for cheering
마침내 그 개구리는 높이 뛰어 올라서 구멍 밖으로 나올 수 있었다.   그는 자신을 응원해준 다른 개구리들한테 감사 인사를

him on — they didn't know / that this frog was deaf! Sometimes, we had better turn a deaf ear to / what others
했다. 그들은 이 개구리가 귀가 들리지 않는다는 것을 몰랐다!   때때로 다른 사람들이 우리에게 말하는 것을 우리는 못 들은 척 하는

tell us.
것이 좋다.

정답   we had better turn a deaf ear to
문제 해설   '~하는 것이 좋다'라는 조동사 표현은 had better이고, turn a deaf ear to는 '~을 못 들은 척하다'이므로 we had better turn
          a deaf ear to가 정답이다.
구문 해설   ❶ would rather는 '~하는 것이 낫다'라는 의미의 조동사이다.
          ❷ be able to는 can처럼 가능 · 능력을 나타내는 조동사인데, 본문이 과거시제이므로 과거형태인 was able to가 사용되었다.

4

Scientists tell us / that our earliest ancestors had no language / and they couldn't read and write. Then how
과학자들은 우리의 고대 조상들이 언어를 가지고 있지 않았고, 읽고 쓸 줄도 몰랐다고 말한다.   그렇다면 그

did they express their thoughts / and share ideas with others? They probably made noises / that meant
들은 어떻게 자신의 생각을 표현하고 다른 사람과 생각을 공유했을까?   그들은 아마도 뭔가를 의미하는 소리를 냈을 것이다.

something. A growl ❶ **might have meant** anger. A screech might have meant danger. A grunt might have meant
으르렁거리는 소리는 화가 났음을 의미했을 것이다. 꽥 하는 소리는 위험을 의미했을 것이다.   끙 앓는 소리는 음식을

food. They probably used body gestures / and made faces / that meant things, too. They might have nodded or
의미했을지도 모른다.   그들은 또한 아마도 무언가를 의미하는 몸짓과 표정을 사용했을 것이다.   그들은 긍정이나 부정을 의미하려

shaken their heads / to mean "yes" or "no." They might have pointed to something / with their fingers. However,
고 고개를 끄덕이거나 가로저었을지도 모른다.   그들은 무언가를 손가락으로 가리켰을지도 모른다.   하지만 그들

they couldn't have expressed all their thoughts / on an unlimited number of topics / such as the weather and how
은 날씨나 동물을 사냥하는 방법 같이 끝도 없는 화제에 대한 그들의 모든 생각을 표현할 수는 없었을 것이다.

to hunt animals. So they ❷ **must have developed** other ways / to better communicate with each other.
         그래서 그들은 서로 더 잘 의사소통하는 방법을 발전시켰음에 틀림없다.

정답   ⑤
문제 해설   우리의 초기 조상들은 언어가 없어서 무언가를 의미하는 소리를 내거나 몸짓과 표정을 이용해 의사소통을 했을 것이라는
          내용이므로, 이 글의 주제로는 ⑤ '우리 조상들은 어떻게 서로 의사소통을 했는가'가 알맞다. ① 언어는 어떻게 시작되었는가 ②
          왜 사람들은 몸짓 언어를 사용하는가 ③ 사람들은 어떻게 자신의 감정을 표현하는가 ④ 우리 조상들은 주로 무엇에 대해
          이야기를 했는가
구문 해설   ❶ 「조동사+have p.p.」는 과거 사실에 대한 다양한 의미를 나타내는데, may/might have p.p.는 '~했을지도 모른다'라는
          의미로, 과거에 대한 막연한 추측을 나타낸다.
          ❷ must have p.p.는 과거 사실에 대한 강한 추측을 나타내므로, must have developed는 '발전시켰음에 틀림없다'라는
          의미이다.

구문+어법

1 could	2 may
3 had better	4 used to
5 shouldn't	6 must
7 rather	8 should

구문 분석 노트

1 ① 조동사 ② 가능 ③ 갈 수 있다
2 ① 조동사 ② 강한 의무 ③ 따라야 한다
3 ① 동사원형 ② 충고 ③ 낫다
4 ① have p.p. ② 후회 ③ 바꾸었어야

구문+어법 해석/해설

1 그는 너무 바빴기 때문에 충분히 잠을 잘 수 없었다.
'~할 수 없었다'는 뜻으로 과거의 가능을 나타내는 could가 알맞다.
2 당신이 정중하게 사과하면 그녀는 용서할지도 모른다.
may는 '~일지 모른다'는 뜻으로 약한 추측을 나타내는 조동사이다.
3 내 생각에는 우리가 주제를 바꾸는 게 좋겠다.
충고를 나타낼 때는 should나 had better를 쓴다.
4 내가 어렸을 때 여기에는 작은 서점이 있었다.
과거의 습관이나 상태를 나타낼 때는 used to를 사용한다.

5 당신은 허락 없이 그 방에 들어가면 안 된다.
금지를 나타내므로 should not을 쓴다.
6 건물을 완공하는 데 많은 시간이 걸렸음에 틀림없다.
must have p.p.는 과거에 대한 강한 추측을 나타낸다.
7 나는 그들과 어울리느니 집에 있고 싶다.
「would rather + 동사원형 ~ than + 동사원형」은 '…하느니 차라리 ~하겠다'라는 의미이다.
8 우리는 어젯밤 경찰에 전화했어야 했다.
should have p.p.는 과거에 하지 않은 일에 대한 후회를 나타낸다.

WORKBOOK

A
1. be able   2. 허락   3. 충고
4. used   5. rather   6. should

B
1. 직업   2. 자격을 갖춘, 적임자의
3. ~을 돌보다   4. ~에 달려 있다   5. 어린 시절
6. 교육자   7. 심하게   8. 필수품
9. 격려하다, 응원하다   10. 부정적인
11. counting   12. give up   13. deaf
14. growl   15. hunt   16. memorize
17. appointment   18. permission   19. weigh
20. rely on

C
1. nodded   2. modern   3. unlimited
4. ancestors   5. imagination

D
1. must, 수영하는 사람들은 깊은 물에서는 구명조끼를 착용해야 한다.
2. stand, 사람들은 표를 사기 위해서 줄을 서야 한다.
3. must, 당신은 미술관에 자주 와 본 것이 틀림없다. 당신은 미술에 대해 많이 안다.
4. used to, 나는 어렸을 때 일기를 쓰곤 했다.
5. would rather, 나는 건강을 위해서 고기를 먹는 것보다 채소를 먹는 것이 더 좋다.

E
1. He may not be the person whom we have known.
2. I was able to play the guitar when I was young.
3. At what age should a child learn to use a computer?
4. They must have developed other ways to better communicate with each other.
5. We would rather go to the amusement park than the zoo.
6. You must not make any noise because the baby is sleeping.
7. I used to play soccer with my brother when I was an elementary school student.
8. You should have called him often.

F
1. We should wear a helemt
2. He couldn't eat lunch today
3. You had better ask for help from an expert
4. I must be a strange man
5. he was able to get out of the hole
6. He shouldn't have opened the box
7. Tom and I used to play outside
8. He might have forgotten

Unit 6 형용사 역할을 하는 어구

01 바로 예문

1 The singer announced her desire to retire.
그 가수는 은퇴할 바람을 발표했다.

2 Lucy was the first guest to come to the party.
Lucy는 파티에 온 첫 손님이었다.

3 He needs some friends to play basketball with.
그는 함께 농구를 할 몇 명의 친구가 필요하다.

4 It is time to start the show.
공연을 시작할 시간이다.

바로 훈련

5 He has many friends to share his concern.
그는 걱정을 나눠 줄 친구가 많다.

6 I have no pen to write with, and no paper to write on.
나에게는 쓸 펜과 쓸 종이가 없다.

7 There was no place to hide in the basement.
지하실에는 숨을 곳이 없었다.

8 My father made a promise to buy me a new bike for my birthday.
아버지는 내 생일 선물로 새 자전거를 사 준다는 약속을 하셨다.

9 Can you think of a better way to end the conflict?
분쟁을 끝낼 더 좋은 방법을 생각할 수 있나요?

02 바로 예문

1 Not Sydney but Canberra is the capital of Australia.
시드니가 아니라 캔버라가 호주의 수도이다.

2 Her stay in London last week was wonderful.
그녀의 지난 주 런던에서의 체류는 정말 멋졌다.

3 The girl with long, straight hair is my sister.
긴 생머리를 가진 소녀가 내 여동생이다.

4 My brother bought some books about time travel.
나의 형은 시간여행에 관한 책을 몇 권 샀다.

바로 훈련

5 The price of that coat is higher than that of my bike.
저 코트의 가격은 내 자전거 가격보다도 더 비싸다.

6 Some sites on the Internet are useful for studying English.
인터넷에 있는 몇몇 사이트는 영어를 공부하는 데 유용하다.

7 He read the news on the earthquake in the newspaper. 그는 신문에서 지진에 대한 뉴스를 읽었다.

8 My little sister wanted to buy a book with interesting pictures.
나의 여동생은 재미있는 그림이 있는 책을 사고 싶어 했다.

9 What is the problem between you and your father?
당신과 당신 아버지 사이의 문제는 무엇인가?

1

Vitamin C is / probably the most popular vitamin / ❶ **for people to take**. Doctors say / people only need 60
비타민 C는 아마도 사람들이 섭취하는 가장 인기 있는 비타민일 것이다.   의사들은 사람들이 하루에 60밀리그램의
milligrams of vitamin C / per day, / and people can easily get this / from normal foods. But many people / still
비타민 C만 필요하고, 일반적인 음식에서 이것을 쉽게 얻을 수 있다고 말한다.   하지만 많은 사람들은
take vitamin C supplements. They believe / that vitamin C / can help prevent disease or even cure colds.
여전히 비타민 C 보충제를 먹는다. 그들은 비타민 C가 질병을 예방하고 심지어 감기를 낫게 한다고 믿는다.
But these positive effects of vitamin C / have never been proven / in research. Vitamin C is necessary / for good
하지만 이런 비타민 C의 긍정적 효과는 연구로 입증된 적이 없다.   비타민 C는 건강에 필수적이지만
health, / but too much vitamin C / can actually cause problems. People / who take large amounts of this vitamin /
너무 많은 비타민 C는 실제로 문제를 일으키기도 한다.   이 비타민을 과다 복용하는 사람은 설사로 고생할 수도
may suffer from diarrhea. Also, chewing vitamin C tablets / can damage the enamel on teeth. Therefore, / just
있다.   또한, 비타민 C 알약을 씹는 것은 치아의 에나멜을 손상시킬 수 있다.   그러므로 그냥
eat / a lot of fresh fruits and vegetables. That's the best way / ❷ **to get enough vitamin C**.
신선한 과일과 채소를 많이 먹어라.   그것이 비타민 C를 충분히 섭취하는 가장 좋은 방법이다.

정답 ②
문제 해설 많은 사람들이 비타민 C가 질병을 예방하고 감기를 치료해 준다고 생각하지만, 그 효과가 입증된 적은 없다고 했으므로, ②는 글의 내용과 일치하지 않는다.
구문 해설 ❶ 앞에 쓰인 명사 vitamin을 to부정사구가 수식하고 있다. 이때 for people은 to take의 의미상 주어이다.
❷ to get enough vitamin C는 앞에 쓰인 명사 way를 수식하는 형용사적 용법으로 쓰이고 있다.

2

The aye-aye is / one of the most unusual animals / in Madagascar. It has / round and glowing eyes, /
아이아이원숭이는 마다가스카르에서 가장 특이한 동물 중 하나이다.   그것은 둥글고 이글거리는 눈과 숟가락처럼

spoon-like ears, / and a long, thin middle finger. It is also endangered / like many other animals / because its
생긴 귀, 기다랗고 얇은 가운데 손가락을 가지고 있다.   그것의 터전인 마다가스카르의 숲이 사탕수수와 코코넛 경작을 위해 파괴

home, the forests **❶ of Madagascar**, / has been destroyed for sugar cane and coconut plantations. The aye-aye
되어서 그것 또한 많은 다른 동물들처럼 멸종 위기에 처해 있다.   아이아이원숭

is becoming a pest / to farmers / because they attack plantations / and steal food **❷ in villages**. Besides, to the
이는 농장을 공격하고 마을의 음식을 훔쳐가기 때문에 농부들에게 성가신 존재가 되고 있다.   게다가 말라가시

Malagasy people, / the aye-aye is magical / and is believed to be a symbol of death. So it is killed / on sight.
사람들에게 아이아이원숭이는 주술적이어서 죽음의 상징으로 여겨진다.   그래서 그것은 눈에 띄면 죽임을 당한다.

Malagasy law prohibits / the killing of the aye-aye. However, / this law unfortunately cannot easily change /
말라가시법은 아이아이원숭이를 죽이는 것을 금지하고 있다. 하지만 불행히도 이 법이 쉽게 사람들의 편견을 바꾸지는 못한다.

people's prejudices.

정답　　③

문제 해설　마다가스카르의 아이아이원숭이가 서식지 파괴와 사람들의 편견 때문에 멸종 위기에 처해 있다는 내용이므로, ③ '멸종 위기에
　　　　　처한 아이아이원숭이'가 글의 제목으로 가장 알맞다. ① 세계의 특이한 동물들 ② 위험한 아이아이원숭이 ④ 마다가스카 르의
　　　　　환경 ⑤ 사람들의 편견을 바꾸는 방법

구문 해설　❶ of Madagascar는 전치사구로 바로 앞의 명사 the forests를 수식하여 '마다가스카르의 숲'이란 의미이다.
　　　　　❷ in villages는 '마을에 있는'이라는 의미로 바로 앞의 명사 food를 수식하는 전치사구이다.

STEP 1 ≫ 구문Start

pp. 68~69

03 바로 예문

1 The girl dancing on the stage was my younger sister.
무대에서 춤추는 소녀는 내 여동생이었다.

2 You can watch a group of swimming dolphins.
당신은 한 무리의 헤엄치고 있는 돌고래를 볼 수 있다.

3 A person invited to the party has to dress up.
파티에 초대받은 사람은 옷을 차려 입어야 한다.

4 Kate called a repairperson to fix the broken toilet.
Kate는 고장 난 변기를 고치기 위해 수리공을 불렀다.

바로 훈련

5 Look at the people standing in line in the hot weather.
무더운 날씨 속에 줄 서 있는 사람들을 봐라.

6 He liked seeing the movies directed by Christopher Nolan.
그는 Christopher Nolan이 감독한 영화 보는 것을 좋아했다.

7 Cook the pasta in the boiling water for 10 minutes.
파스타를 끓는 물에 10분간 익히세요.

8 The injured marathon runner kept running to the finish line.
다친 마라톤 선수는 결승선까지 계속 달렸다.

9 Scientists studying the planets discovered some volcanoes on Mars.
행성을 연구하는 과학자들은 화성에서 화산 몇 개를 발견했다.

04 바로 예문

1 There was much rain in my town last year.
작년에 우리 마을에는 비가 많이 왔다.

2 He made few mistakes on the test.
그는 시험에서 실수를 거의 하지 않았다.

3 If you have any questions, raise your hand.
질문이 좀 있으시면, 손을 들어 주세요.

4 He put some coins into the vending machine.
그는 동전 몇 개를 자동판매기에 넣었다.

바로 훈련

5 I don't have much money so I can't afford that right now.
나는 많은 돈을 가지고 있지 않아서 지금 당장 저것을 살 여유가 없다.

6 You may pick as many flowers as you like.
당신이 원하는 만큼 많은 꽃을 꺾어도 좋다.

7 I had few friends to talk with, so I felt sad.
나는 함께 이야기를 나눌 친구가 거의 없어서 슬펐다.

8 Unfortunately, there is little hope of his recovery.
불행히도, 그가 회복할 가망이 거의 없다.

9 Some people lose their appetite when they are busy.
어떤 사람들은 바쁠 때 입맛을 잃는다.

22 · Answers

3

At the Seattle Special Olympics, / nine contestants, **❶ all physically or mentally disabled**, / stood at the
시애틀 장애인 올림픽에서 모두 신체적으로나 정신적으로 장애가 있는 9명의 참가자들이 100야드 달리기의 출발선에 서 있었다.
starting line / for the 100-yard dash. At gunshot, / they all started running / — except one little boy / who was
총성과 함께, 그들은 모두 앞으로 뛰어나가기 시작했다. 아스팔트 위에 발을 헛디디고
stumbling on the asphalt, / tumbling twice and crying loudly. The other eight / heard the boy cry. They slowed
두 번 구르고 큰 소리로 울고 있는 한 어린 소년을 제외하고 말이다.   나머지 여덟 명은 소년이 우는 것을 들었다. 그들은 속도를
down / and looked back. Then they all turned around / and went back. One girl **❷ with Down's syndrome** / bent
늦추고 뒤돌아 봤다.   그리고 나서 그들은 모두 몸을 돌려 되돌아 갔다.   다운증후군이 있는 한 소녀가 몸을 숙여 그에게
down and kissed him / saying, "This will make it better." Then all nine linked arms / and walked together / to the
키스를 하며 "이러면 좀 더 나을 거야."라고 말했다.   그리고 나서 아홉 명이 모두 팔을 연결해서는 결승선까지 함께
finish line. Everyone in the stadium stood, / and the cheering went on / for several minutes.
걸어갔다.   경기장의 모든 사람들이 일어섰고 몇 분 동안 환호는 계속되었다.

정답   ④

문제 해설   장애인 올림픽 달리기 경기에서 한 명의 선수가 넘어져 울자, 다른 참가자들이 모두 경주를 멈추고 돌아와 그와 함께
결승선까지 걸었고, 이를 본 관객들도 환호를 보냈다는 내용에서 ④ '감동적인' 분위기를 느낄 수 있다. ① 슬픈 ② 분주한 ③
지루한 ⑤ 축제 분위기의

구문 해설   ❶ all physically or mentally disabled는 과거분사구가 명사 contestant를 뒤에서 수식하는 구조이다.
❷ 전치사구 with Down's syndrome은 앞의 명사 girl을 수식하는데, 전치사 with는 보통 '~을 가진'이라는 의미로 사용된다.

4

Why can't we see colors / in the dark? The key factor is / light from the sun, / and it is called / white light.
왜 우리는 어둠 속에서는 색깔을 볼 수 없을까? 중요한 요인은 태양으로부터의 빛이고 그것은 백색광이라 불린다.
But, as Newton was the first / **❶ to show**, / white light is really / a mixture of the light of all colors. These colors
그러나 Newton이 처음으로 보여 주었듯이 백색광은 사실 모든 색깔들의 혼합체이다.   이러한 색깔들은
are present / in sunlight. Color is determined / by the wavelength of the light. Most of the colors / we see / are
태양광에 나타난다.   색깔은 빛의 파장에 의해 결정된다.   우리가 보는 대부분의 색깔들은 단일
not of single wavelength, / but are mixtures of **❷ many** wavelengths. When white light falls on an object, /
파장이 아니라, 많은 파장들의 혼합체이다.   백색광이 물체에 떨어질 때, 일부 파장들은
❸ some wavelengths are reflected, / and the rest are absorbed by the material. A piece of red cloth, / for
반사되고 나머지는 물체에 의해 흡수된다.   예를 들어, 빨간 천 조각은 일정
example, / absorbs almost all wavelengths / except a certain range of red ones. These are the only ones / that
범위의 빨간 파장을 제외하고 거의 모든 파장을 흡수한다.   이것들이 여러분의 눈에 반사되는
are reflected in your eyes, / so you see the cloth / as red. So color is / a quality of light. It does not exist / apart
유일한 파장이어서, 여러분은 그 천을 빨간 색으로 보게 된다.   그래서 색깔은 빛의 속성이다.   색깔은 빛과 분리되어 존재
from light.
할 수 없다.

정답   ④

문제 해설   우리가 보는 색깔이 어둠 속에서는 보이지 않고 빛이 있어야만 보이는 이유를 설명한 글이므로, ④ '우리가 색깔을 보는 원리'가
주제로 가장 알맞다. ① 빛의 서로 다른 파장 ② 백색광이 형성되는 이유 ③ 태양빛의 기본 속성 ⑤ 빛과 파장의 관계

구문 해설   ❶ to부정사 to show는 앞에 쓰인 명사 the first를 수식하여 '보여 준 첫 번째 인물'이라는 의미이다. 이때 first는 '최초의
인물'이라는 의미의 명사로 사용되었다.
❷ 수량형용사 many는 셀 수 있는 명사의 복수형(wavelengths) 앞에 사용한다.
❸ 부정형용사 some은 '약간의'라는 의미로, 이 문장에서는 뒤의 the rest와 짝을 이루어, '약간의 ~는 ..., 나머지는 ....'
이라는 의미를 만든다.

구문+어법

1 a few
2 to cook
3 of
4 on
5 stolen
6 much
7 to eat
8 surfing

구문 분석 노트

1 ① 목적어 ② work ③ 할 일
2 ① 주어 ② 전치사구 ③ 꼬리가 짧은
3 ① 목적어 ② 과거분사 ③ 삶은 계란
4 ① 주어 ② 없는 ③ 거의 없다

구문+어법 해석/해설

1. 나는 그에 관해 몇 가지 질문이 있다.
   셀 수 있는 명사(questions) 앞에 쓰였으므로 a few가 알맞다.
2. 그 집에는 음식을 만들 사람이 없었다.
   앞의 명사를 수식하는 역할을 하므로 to부정사 형태가 알맞다.
3. 저 셔츠의 색은 내것의 색보다 더 밝다.
   '저 셔츠의 색'이라는 의미이므로 전치사 of가 알맞다.
4. 그는 신문에 난 홍수에 관한 뉴스를 읽었다.
   '~에 관한'이라는 의미의 전치사 on을 써야 한다.
5. 그녀는 도난당한 자전거를 찾기 위해 경찰에 전화했다.
   '도난당한'이라는 수동의 의미가 되도록 과거분사를 써야 한다.

6. 당신은 원하는 만큼 많이 초콜릿을 먹을 수 있다.
   셀 수 없는 명사(chocolate) 앞에 쓰였으므로 much가 알맞다.
7. 기차에서 먹을 달콤한 것을 좀 주세요.
   something을 수식하는 to부정사 형태가 알맞다.
8. 바다에서 서핑을 하는 젊은이들이 많이 있었다.
   '서핑하고 있는'이라는 진행의 의미가 되도록 현재분사를 써야 한다.

WORKBOOK

Ⓐ
1. to부정사구
2. 현재분사
3. 있는
4. little
5. 의문문

Ⓑ
1. 갈등, 분쟁
2. 실제로
3. 특이한, 흔치 않은
4. 물질, 재료
5. 참가자
6. 범위
7. 감독하다
8. 입맛
9. 수도
10. 환호, 갈채
11. prove
12. endangered
13. prejudice
14. reflect
15. absorb
16. quality
17. mixture
18. afford
19. unfortunately
20. bend

Ⓒ
1. spoil
2. injured
3. concern
4. desire
5. earthquake

Ⓓ
1. many, 그들은 할 수 있는 만큼 오렌지를 따도 좋다.
2. Some, 어떤 사람들은 너무 더울 때 입맛을 잃는다.
3. studying, 그 질병을 연구하는 과학자들은 새로운 사실을 발견했다.
4. with, 파란 치마를 입은 소녀가 내 여동생이다.
5. of, 오후에 차를 마시는 것은 영국의 유명한 전통이다.

Ⓔ
1. He needs some friends to play the game with.
2. The capital of Canada is not Toronto but Ottawa.
3. Vitamin C is the most popular vitamin for people to take.
4. Some wavelengths are reflected, and the rest are absorbed by the material.
5. The man playing the cello on the stage was my friend.
6. According to the weather report, there will be much snow this winter.
7. Some information on the Internet is very useful.
8. The tiger running after a horse has big teeth.

Ⓕ
1. has a desire to travel around the world
2. any interesting ideas for the topic
3. the best way to get enough vitamin C
4. round and glowing eyes
5. kept running to the finish line
6. Do you have any work to do
7. little chance of his recovery
8. all physically or mentally disabled

Unit 7 관계사

01 바로 예문

1 He interviewed the writer who was very shy.
그는 매우 수줍어하는 작가를 인터뷰했다.

2 I downloaded the app which was for free.
나는 무료 앱을 다운로드 했다.

3 She didn't read the book (that) I bought her.
그녀는 내가 사 준 책을 읽지 않았다.

4 Try the cookies (which were) baked by John.
John이 구운 과자를 먹어 봐.

바로 훈련

5 The woman is a singer who is famous for her unique fashion style. 그 여자는 독특한 패션 스타일로 유명한 가수이다.

6 The bike which my brother had lost was found by the lake. 내 남동생이 잃어버렸던 자전거가 호숫가에서 발견되었다.

7 I'll lend you the dress that my mother made me last year. 우리 엄마가 작년에 나에게 만들어 주신 드레스를 당신에게 빌려줄 것이다.

8 I haven't yet seen the movie that all my friends talked about. 나는 모든 친구들이 말하던 그 영화를 아직 보지 못했다.

9 The hospital is looking for someone whose blood type is B. 병원은 혈액형이 B인 사람을 찾고 있다.

02 바로 예문

1 This is the reason why they parted from each other.
이게 그들이 서로 헤어진 이유이다.

2 I can't remember the place at which I met you first.
나는 당신을 처음 만난 장소가 기억나지 않는다.

3 June 10 is the day when my parents got married.
6월 10일은 우리 부모님이 결혼하신 날이다.

4 This is the way in which he got out of the maze.
이것이 그가 미로를 빠져나온 방법이다.

바로 훈련

5 There are times when people need to be alone.
사람들이 혼자 있어야 하는 시간이 있다.

6 I don't know the reason why she was absent yesterday.
나는 어제 그녀가 결석한 이유를 모른다.

7 He taught me the way in which he pronounced "r" and "l."
그는 자신이 'r'과 'l'을 발음하는 방법을 내게 가르쳐 주었다.

8 This is the souvenir shop where I bought the painting.
여기가 내가 그 그림을 산 기념품 가게이다.

9 Fred remembers the day on which he moved here.
Fred는 그가 이곳으로 이사한 날을 기억한다.

1

There are some ways / to increase the food supply. One of them is / by using chemicals / ❶ that help produce
식량 공급을 늘리는 몇 가지 방법이 있다.   그 중 한 가지는 더욱 크고 강한 작물을 생산하는 데 도움이 되는
bigger and stronger crops. The most common types of chemicals / (that) farmers use / are fertilizers, herbicides,
화학물질을 사용하는 것이다.   농부들이 사용하는 가장 대표적인 종류의 화학물질은 비료, 제초제, 그리고 살충제이다.
and pesticides. Fertilizers add nutrients / to the soil / to help plants grow. Herbicides kill weeds. Pesticides kill
                비료는 작물이 자랄 수 있도록 토양에 영양분을 공급한다.   제초제는 잡초를 제거한다. 살충제는 작물에
insects / that harm plants. Chemicals help grow food / and get rid of harmful insects and weeds, / but they can
해를 끼치는 곤충을 죽인다.   화학물질은 작물을 재배하고 해충과 잡초를 없애는 데 도움을 주지만, 만약 부주의하게 혹은 잘못
hurt the environment / if used carelessly or incorrectly. Certain pesticides, / for example, / may also kill insects /
사용되면 환경을 해칠 수 있다.   예를 들면, 어떤 살충제는 작물에 해를 끼치지 않는 곤충을 죽이거나
❷ **that do not harm crops** / or may hurt animals / **that eat the poisoned insects.** So we should be careful / when
살충제에 중독된 곤충을 먹는 동물들을 다치게 할 수 있다.   그러므로 우리는 농경에 화학물질을
using chemicals in farming / and find other ways, / like adding insect's natural predators to fields.
사용할 때 주의를 기울여야 하고, 곤충의 자연 포식자를 밭에 더하는 것과 같은 다른 방법을 모색해야 한다.

정답   ②
문제 해설   목적격 관계대명사는 생략이 가능하다. 이에 해당하는 것은 ②뿐이다. 나머지는 모두 주격 관계대명사이므로 생략할 수 없다.
구문 해설   ❶ that help ...는 선행사 chemicals를 수식하는 주격관계대명사절이다.
           ❷ that do not harm crops와 that eat the poisoned insects는 각각 선행사 insects와 animals를 수식하는
           주격관계대명사절이다.

2

Scientists say / when we experience something, / brain cells transform the information / into images. Then
과학자들은 우리가 무언가를 경험할 때 뇌 세포가 정보를 이미지로 변환한다고 말한다.　　　　　　　　　　그 다음

these images are sent / to an area of the brain / **❶ where they can be processed**. These images first remain /
이 이미지들은 뇌에서 처리될 수 있는 영역으로 옮겨진다.　　　　　　　　　　　이 이미지들은 처음에 단기 기억

in our short-term memory. Some of them are moved / to our long-term memory, / while the remaining short-term
으로 남아 있다.　　　　　　그들 중 일부가 장기 기억으로 옮겨지는데 반해, 남아 있는 단기 기억은 사라진다.

memory / fades away. But how this process happens / is a mystery. According to some research, / food and
　　　　　　그러나 이 과정이 어떻게 일어나는지는 미스터리이다.　　몇몇 연구에 따르면, 음식과 잠이 이 과정에

sleep can influence / this process. Vitamin E helps / you with remembering. And after a good night's sleep, / you
영향을 줄 수 있다.　　　　비타민 E는 당신이 기억하는 데 도움이 된다.　또 숙면을 취한 뒤에 당신은 무언가를 더

will remember things / more clearly. Do you want to have a good memory? Then keep off fast food / and / do not
또렷하게 기억할 것이다.　　　　　좋은 기억력을 가지고 싶은가? 그렇다면 패스트푸드를 멀리하고 늦게까지 깨어 있지 마라.

stay up late.

정답　　　①

문제 해설　After a good night's sleep, you will remember things more clearly.라는 문장으로 보아, 빈칸에는 잠을 잘 자야 한다는
　　　　　내용이 와야 하므로 ① '늦게까지 깨어 있지 마라'가 알맞다. ② 운동을 시작하라 ③ 너무 많이 먹지 마라 ④ 아침에 일찍
　　　　　일어나라 ⑤ 기억할 만한 것을 경험하라

구문 해설　❶ where they can be processed는 앞에 쓰인 an area of the brain을 수식하는 관계부사절이다.

STEP 1 ❯❯❯ 구문 Start

pp. 78~79

03 바로 예문

1 That is Tom Smith, who is my favorite singer.
이 사람은 Tom Smith인데, 내가 제일 좋아하는 가수이다.

2 My lunch, which I made in 3 minutes, was very tasty.
내 점심은 내가 3분 만에 만들었는데, 아주 맛있었다.

3 Alice went to London, where she stayed for a month.
Alice는 런던에 가서, 거기에 한 달 동안 머물렀다.

4 Call me at around 7 p.m., when I will be at home.
7시쯤 내게 전화해줘, 그때는 내가 집에 있을 테니.

바로 훈련

5 I've never been to Beijing, where my uncle lives.
나는 베이징에 가 본 적이 없는데, 그곳에서 우리 삼촌이 살고
계시다.

6 The exam was delayed, which means I have more
time to study.
그 시험은 연기되었는데, 그것은 내가 공부할 시간이 더 있다
는 것을 의미한다.

7 Sam, who is an excellent cook, is planning to open his
own restaurant.
Sam은 훌륭한 요리사인데, 자기 식당을 열 계획이다.

8 In 2005, when the hurricane hit the town, my sister was
born.
2005년, 허리케인이 마을을 강타했을 때에, 내 언니가 태어났다.

9 Mr. Robinson, whom I met at the trade fair, is a
famous interpreter.
Robinson씨는 내가 무역 박람회에서 만난 사람인데, 유명한
통역사이다.

04 바로 예문

1 Whenever it rains this summer, it pours.
올 여름에는 비가 올 때마다 퍼붓는다.

2 He has never doubted whatever I said to him.
그는 내가 그에게 말한 것은 무엇이든 의심한 적이 없다.

3 Whichever you choose, I'll support you.
당신이 무엇을 선택하든 나는 당신을 지지할 것이다.

4 However rich he may be, he can't buy love.
그가 아무리 부유할지라도 사랑을 살 수는 없다.

바로 훈련

5 Whenever I see him, I think of his brother.
난 그를 볼 때마다 그의 형이 생각난다.

6 However young she may be, we have to listen to her.
아무리 어릴지라도 우리는 그녀의 말에 귀 기울여야 한다.

7 The company will hire whoever is the most qualified.
그 회사는 가장 잘 자격을 갖춘 누구든지 고용할 것이다.

8 The kid followed his dad wherever he went.
그 아이는 아빠가 가는 곳은 어디든 따라갔다.

9 Whatever I receive on my birthday, I will be happy.
생일날 무엇을 받든지 나는 행복할 것이다.

3

Do you know / how we tell the difference / between a shark and a whale? The biggest difference is / that a
당신은 상어와 고래의 차이를 어떻게 구별하는지 알고 있는가?   가장 큰 차이점은 고래는 포유류이고

whale is a mammal / and a shark is a fish. That is, / a whale gives birth to live young / while a shark lays eggs.
상어는 어류라는 점이다.   다시 말해, 상어가 알을 낳는 반면에 고래는 살아있는 새끼를 낳는다.

Also, a whale, / like other mammals, / moves its tail / up and down / when it swims. On the other hand, / a shark
또한, 다른 포유류들과 같이 고래는 헤엄칠 때 꼬리를 위아래로 움직인다.   반면에, 상어는 어류이기 때문에,

is a fish, / so it moves its tail / left and right / as it swims. Whales / ❶ **whose body length is less than 4 meters** /
헤엄칠 때 꼬리를 좌우로 움직인다.   몸길이가 4미터 이하인 고래는 보통 돌고래로 분류된다.

are usually classified / as dolphins. Unlike a shark, / ❷ **whose sense of smell is very good**, / a whale does not
                          후각이 매우 좋은 상어와는 달리, 고래는 후각이 좋지 못하다.

have / a good sense of smell. As a matter of fact, / whales use their nostrils / mostly just to breathe.
                          사실, 고래는 콧구멍을 대부분 숨 쉬는 데만 사용할 뿐이다.

정답   ③
문제 해설   고래와 상어의 차이점에 대해 설명하는 글이므로, ③ 몸길이가 4미터 미만인 고래가 돌고래로 분류된다는 내용은 글의 흐름에
          어긋난다.
구문 해설   ❶ 소유격 관계대명사 whose가 이끄는 관계대명사절이 앞의 명사 Whales를 수식한다.
          ❷ whose sense of smell is very good은 계속적 용법의 관계대명사절로, 삽입어구처럼 쓰여 앞에 나온 명사 a shark를 부연
            설명한다.

4

A burp is a very natural process / ❶ **in which air comes out** / **through the mouth.** ❷ **Whenever we eat or**
트림은 공기가 입을 통해 밖으로 나오는 아주 자연스런 과정이다.   음식을 먹거나 마실 때마다

drink, / we swallow some amount of air / along with our food. Our stomach already has air in it / from bacteria /
우리는 음식과 함께 일정량의 공기를 삼킨다.   우리의 위장 속에는 이미 가스를 생성하는 박테리아나

that produce gas / and from chemical reactions / caused by digestive enzymes. When there is too much air / to fit
소화 효소에 의한 화학 반응으로부터 발생된 공기가 있다.   우리의 위장에 들어 있기에 공기가 너무

in our stomach, / some air comes out / through the mouth, / resulting in a burp. Even though it's a very natural
많으면, 일부는 입을 통해 나오게 되고, 그 결과, 트림을 하게 된다.   그것이 아주 자연스러운 과정일지라도

process, / excessive burping / should be viewed / with concern. Anxiety and emotional disturbances cause a dry
과도한 트림은 관심을 갖고 살펴봐야 한다.   걱정이나 정서 장애는 침을 자주 삼켜서   입을 건조하게

mouth, / with frequent swallowing of saliva. This can cause / excessive burping. Also, the same occurs / while
한다.   이것은 과도한 트림을 유발한다.   또한 껌을 씹을 때도 같은 일이 일어

chewing gum.
난다.

정답   ④
문제 해설   주어진 문장은 '트림은 자연스러운 과정이지만 지나칠 경우에는 관심을 갖고 지켜봐야 한다'는 내용이므로, 트림을 하게 되는
          원리를 설명한 문장 뒤인 ④에 위치하는 것이 가장 알맞다.
구문 해설   ❶ in which air comes out through the mouth는 앞에 쓰인 process를 수식하는 관계대명사절이다.
          ❷ Whenever we eat or drink는 복합관계대명사절로, '우리가 음식을 먹거나 마실 때마다'라는 의미이다. Every time when
            we eat or drink로 바꿔 쓸 수 있다.

구문+어법

1 which	2 whose
3 for	4 where
5 Whenever	6 whoever
7 who	8 which

구문 분석 노트

1 ① 관계대명사 ② the traveler ③ 여행객
2 ① 관계부사 ② the reason ③ 학교에 늦은
3 ① 계속적 ② a cat ③ 있는데
4 ① 복합 ② anything ③ 무엇이든지

구문+어법 해석/해설

1 내가 잃어버린 그 펜은 책상 밑에서 발견되었다.
   선행사 the pen이 사물이고 목적격이므로 which가 알맞다.
2 Karl은 그의 개가 실종되었는데, 지금 아파 누워 있다.
   'Karl의 개'라는 의미이므로 소유격을 나타내는 whose가 알맞다.
3 나는 왜 그녀가 그렇게 화가 났는지 모른다.
   선행사가 이유를 나타내므로 관계부사 why 또는 for which가 알맞다.
4 Ted는 그녀를 처음 만난 장소를 기억한다.
   선행사가 장소를 나타내므로 관계부사 where가 알맞다.

5 나는 당근을 볼 때마다 토끼가 생각난다.
   '~할 때는 언제나'라는 뜻의 whenever가 알맞다.
6 퀴즈를 푸는 사람은 누구든지 상을 받을 것이다.
   '~하는 누구나'라는 뜻의 복합관계사 whoever가 알맞다.
7 그녀에게는 항상 서로 싸우는 두 친구가 있다.
   선행사 two friends가 사람이고 주격이므로 who가 알맞다.
8 Cindy는 시험에서 아주 잘했는데, 그것은 깜짝 놀랄 만한 일이었다.
   관계대명사 that은 계속적 용법으로 쓰이지 않는다.

WORKBOOK

A
1. which	2. 계속적 용법	3. 부사
4. when	5. why	6. wherever

B
1. 공급(량)	2. (농)작물	3. 영양분
4. 토양	5. 포식자	6. 처리하다, 과정
7. 영향을 주다	8. (생물) 효소	9. 부정확하게
10. 잦은	11. insect	12. burp
13. classify	14. transform	15. digestive
16. reaction	17. anxiety	18. swallow
19. disturbance	20. mammal	

C
1. Excessive	2. pronounce	3. get rid of
4. hire	5. interpreter	

D
1. whose, 아들이 유명한 음악가인 저 여자는 이곳에 매일 온다.
2. when, 지구의 날은 우리가 환경에 대해 생각해 보는 특별한 날이다.
3. which, 그 시험은 연기되었는데, 그것은 내가 공부할 시간이 더 있다는 것을 의미한다.
4. whenever, 연설을 할 때마다 나는 항상 긴장한다.
5. whatever, 당신이 먹고 싶은 것은 무엇이든 먹을 수 있다.

E
1. The press interviewed the boy who survived the earthquake.
2. This is the way we escaped from the forest.
3. The most common types of chemicals that farmers use are fertilizers and pesticides.
4. Do you know how we tell the difference between a shark and a whale?
5. I want to eat the bread which has cream cheese in it.
6. Whatever you may cook for dinner, it will be delicious.
7. This poem, which he wrote in 5 minutes, was excellent.
8. Whenever I see him, I think of a famous actor.

F
1. which he had bought in his 20s
2. that my grandmother made me last year
3. (in which) he got there on time
4. where they can be processed
5. Whenever we eat or drink
6. where the post office used to be
7. However difficult it may be
8. Call me at around 7 p.m.

Unit 8 부사 역할을 하는 어구

pp. 84~85

STEP 1 >>> 구문 Start

01 바로 예문

1 I was angry to see that he messed up my room.
나는 그가 내 방을 어질러 놓은 것을 보고 화가 났다.

2 Everyone was shocked to hear the news.
모든 이들은 그 소식을 듣고 놀랐다.

3 She must be diligent to get up early every day.
매일 일찍 일어나다니 그녀는 성실함에 틀림없다.

4 The chocolate was too hard to chew.
그 초콜릿은 씹기에 너무 딱딱했다.

바로 훈련

5 The girl grew up to become a world-famous opera singer.
그 소녀는 자라서 세계적으로 유명한 오페라 가수가 되었다.

6 My brother saved money to help poor children in Africa.
나의 형은 아프리카의 불쌍한 아이들을 돕기 위해 돈을 저축했다.

7 Tony must be romantic to propose to his girlfriend on the boat. 보트에서 여자 친구에게 청혼하다니 Tony는 낭만적인 사람임에 틀림없다.

8 I was really surprised to see her B-boy dance on the street.
나는 그녀가 길거리에서 비보이 춤을 추는 것을 보고 정말 놀랐다.

9 The table is large enough for eight people to sit around.
그 식탁은 여덟 명이 둘러앉을 수 있을 정도로 크다.

02 바로 예문

1 While he was watching TV, he fell asleep.
그는 TV를 보면서 잠이 들었다.

2 Because I was tired, I didn't do anything.
나는 피곤했기 때문에 아무것도 하지 않았다.

3 If you don't understand it, you can ask her.
만약 그것을 이해하지 못한다면, 그녀에게 물어볼 수 있다.

4 Although the dog has short legs, it is really fast.
그 개는 비록 다리가 짧지만 정말 빠르다.

바로 훈련

5 I can't trust him since he often tells lies.
그가 종종 거짓말을 하기 때문에 난 그를 믿을 수 없다.

6 He fell ill while he was traveling in London.
그는 런던을 여행하는 동안에 병이 났다.

7 Though he was very learned, he couldn't solve the quiz.
그는 아주 박식한 사람이지만 그 퀴즈는 풀지 못했다.

8 You can borrow the book so long as you return it on time.
당신이 제때 반납하기만 한다면 이 책을 빌려도 좋다.

9 Unless you hurry up, you won't get to the airport before noon. 서두르지 않으면 당신은 공항에 12시 전에 도착하지 못할 것이다.

STEP 2 >>> 독해력 Upgrade

pp. 86~87

1 Real life can be influenced / by the expectations of others. When you believe / a team will perform well, / in
현실이 다른 사람의 기대에 영향을 받을 수 있다.   어떤 팀이 잘할 거라고 믿으면 마술처럼 그들은 그렇게 한다.
some magical way / they do. And similarly, / when you believe / they won't perform well, / they don't. This idea is
                        비슷하게, 그들이 잘 못할 거라고 믿으면, 그들은 잘하지 못한다.   이런 생각은
known / as the Pygmalion Effect. A study was done / ❶ to suggest / that this idea is true. In 1966, / at a San
'피그말리온 효과'라고 알려져 있다.   이런 생각이 사실이라는 것을 보여 주기 위해 한 연구가 이루어졌다 1966년에 샌프란시스
Francisco elementary school, / some researchers experimented with the idea. The teachers were told / that one
코의 한 초등학교에서 몇몇 연구자들은 이런 생각에 관해 실험을 했다.   교사들은 자기 학급의 5분의 1에 해당하는
fifth of their class / would develop higher IQ scores. During the checks after 4 months, 8 months, and 20 months, /
학생들이 더 높은 IQ 점수로 발전할 수 있을 거라고 들었다. 4개월, 8개월, 20개월 후에 점검을 하는 동안에, 교사들은 학생들이
the teachers were surprised / ❷ to see the progress / the students showed. The teachers knew / their expectation
보인 발전을 보고 놀랐다.   교사들은 그들의 기대가 학생들의 점수
had a great effect / on their progress.
향상에 큰 영향을 끼쳤다는 것을 알게 되었다.

정답   ②

문제 해설   사람은 다른 사람의 긍정적이거나 부정적 기대에 영향을 받을 수 있다는 것이 한 연구 결과를 통해 입증되었다는 내용이므로,
          이 글의 주제로는 ② '기대의 힘'이 가장 알맞다. ① 아이큐를 향상시키는 방법들 ③ 자신감의 효과 ④ 함께 일하는 것의 중요성
          ⑤ 교사들이 학생들에게 기대하는 것

구문 해설   ❶ to suggest 이하는 목적을 나타내는 부사적 용법의 to부정사구이다.

          ❷ to see 이하는 감정(were surprised)의 원인을 나타내는 부사적 용법의 to부정사구이다.

What's your blood type? You may answer the question / as one of the 4 types of blood, / A, B, O, and AB.
여러분의 혈액형은 무엇인가? 여러분은 A, B, O, AB와 같은 4가지 종류 중 하나로 답할 것이다.

But there is one more way / to divide blood into groups. It's the RH factor. ❶ **As this discovery was made** / **in**
그러나 혈액형을 분류하는 또 다른 방식이 있다.　　　　　　　그것은 RH 인자이다.　이 발견은 붉은 털 원숭이에 대한 실험

the course of experiments on rhesus monkeys, / it came to have the name "RH." It was found / that ❷ **when**
도중에 이루어져서 'RH'라는 이름을 갖게 되었다.　　　　　　　　　　　　　　특정한 혈액의 조합이 이루어

certain combinations of blood / **were made,** / the red blood cells broke apart. The cause was traced / to
지면 적혈구가 분리된다는 것이 발견되었다.　　　　　　　　　그 원인은 특정 RH 인자의

certain differences / in the RH factor. The blood of human beings in this case / is divided / into RH positive and
차이임이 밝혀졌다.　　　　　　이 경우 인간의 혈액은 RH 양성과 RH 음성으로 나누어진다.

RH negative. When blood from an RH positive person / is given / to a person / who is RH negative, / the person
　　　　　　RH 양성인 사람의 혈액이 RH 음성인 사람에게 주어지면, 그 사람은 혈액 질환을 앓게 될 것이다.

will develop / a blood disease. About one / in every forty or fifty children / of an RH positive father and RH
　　　　　　　　　　　RH 양성인 아버지와 RH 음성인 어머니에게 태어난 아이들 40~50명 가운데 한 명 정도는

negative mother / will have a blood disease.
혈액 질환을 앓을 수 있다.

정답　　　③

문제 해설　'RH'는 붉은 털 원숭이(rhesus monkey)에 대한 실험 과정에서 발견되어 붙여진 이름이다.

구문 해설　❶ As this discovery was made …는 이유를 나타내는 부사절이다.
　　　　　❷ when certain combinations of blood were made는 때를 나타내는 부사절이다.

STEP 1 ≫ 구문Start

pp. 88~89

03 바로 예문

1 Saying goodbye to me, she waved her hand.
나에게 작별인사를 하며 그녀는 손을 흔들었다.

2 Being sick and tired, she stayed in bed.
아프고 피곤해서 그녀는 침대에 누워 있었다.

3 Written in easy English, the book is easy to read.
그 책은 쉬운 영어로 쓰여서 읽기 쉽다.

4 Lost in the forest, we had to depend on the compass.
숲에서 길을 잃어서 우리는 나침반에 의존해야 했다.

바로 훈련

5 Left to himself, the boy began to cry.
혼자 남겨지자 소년은 울기 시작했다.

6 Drinking hot tea, you will feel much better.
뜨거운 차를 마시면 기분이 훨씬 좋아질 것이다.

7 Walking down the street, I encountered my old friend.
길을 걷다가 나는 우연히 오랜 친구를 만났다.

8 Having no experience, you must learn everything from the bottom up.
경험이 없다면 당신은 모든 것을 기초부터 배워야 한다.

9 He said, "I'd like a cup of green tea," looking at my face.
그는 내 얼굴을 쳐다보며 "녹차 한 잔 주세요."라고 말했다.

04 바로 예문

1 Having lost all his money, he had to change his plan.
돈을 모두 잃어버려서 그는 계획을 변경해야 했다.

2 Having been built of wood, the houses easily burn.
목재로 지어져서 그 집들은 불에 타기 쉽다.

3 The snow beginning to fall, they were very excited.
눈이 내리기 시작하자 그들은 매우 신이 났다.

4 Not having been caught before, he stole the car again.
잡힌 적이 없었기 때문에 그는 차량절도를 또 했다.

바로 훈련

5 Not having eaten enough food, I felt hungry.
음식을 충분히 먹지 않았기 때문에 나는 배가 고팠다.

6 Not having received a letter from him, I wrote again.
그에게서 편지를 받지 못했기 때문에 나는 다시 썼다.

7 There being no wind, the boat didn't move at all.
바람이 없어서 그 배는 전혀 움직이지 않았다.

8 Having been sick, Wendy was absent from school that day.
아파서 Wendy는 그날 학교에 결석했다.

9 All the money having been spent, he started looking for work.
돈을 다 써버리고 그는 일을 찾기 시작했다.

3

Uncle Sam is / the symbol of the United States. Is he a real person? Yes, he is. Uncle Sam was Samuel
Uncle Sam은 미국의 상징이다.   그는 실존 인물일까?   그렇다.   Uncle Sam은 Samuel Wilson

Wilson. **❶ Born in Arlington, Massachusetts in 1766,** / he opened / a meat-packing company / in New York.
이었다.   1766년 매사추세츠의 알링턴에서 태어난 그는 뉴욕에서 육류를 포장하는 회사를 열었다.

He was / a good and caring employer / and became known / as Uncle Sam. Sam Wilson sold meat / to the army /
그는 착하고 정이 많은 고용주였고, Uncle Sam으로 알려지게 되었다.   Sam Wilson은 군대에 육류를 팔았고,

and he wrote the letters "US" / on the crates. This meant / "United States," / but this abbreviation was / not yet
그는 운송 상자에 'US'라고 글자를 써 넣었다.   이것은 '미국(United States)'을 뜻했지만, 이 약자는 아직 흔하지 않았다.

common. One day, / a company worker was asked / what the letters "US" stood for. **❷ Not knowing,** / he said /
어느 날 한 공장 근로자는 US 글자가 무엇을 나타내는지 질문을 받았다.   그는 잘 몰라서, 아마도 그

that perhaps the letters stood for / his employer, Uncle Sam. Soon soldiers began joking / that their food came
글자는 그의 고용주 Uncle Sam을 뜻할 거라고 말했다.   곧 군인들은 그들의 식량이 Uncle Sam에게서 들어온다고

from Uncle Sam / and called themselves / Soldiers of Uncle Sam.
농담을 하기 시작했고 자신들을 'Uncle Sam의 군인'이라고 칭했다.

정답　　②
문제 해설　　육류를 포장하는 회사의 사장인 Uncle Sam은 군대에 납품하는 육류 상자에 'United States'의 약자로 US라고 썼는데,
　　　　　　사람들은 Uncle Sam의 약자로 이해했다.
구문 해설　❶ Born in Arlington ...는 분사구문으로, He was born in Arlington ..., and의 의미이다. 분사구문에서 보통 Being이나
　　　　　　Having been은 생략되어 과거분사로 시작하기도 한다.
　　　　　❷ Not knowing은 Because he didn't know를 분사구문으로 바꿔 쓴 것이다. 분사구문의 부정형은 분사구문 앞에 Not을 붙여
　　　　　　만든다.

4

People / who were born / in the years from the early 1980s until the early 2000s / are called millennials.
1980년대 초부터 2000년대 초에 태어난 사람들을 새천년세대라고 한다.

They usually don't go to banks / and just use online banking, / and they don't carry cash / and just use cards.
그들은 대개 은행에 가지 않고 온라인 뱅킹만 이용하며, 현금을 갖고 다니지 않고 카드만 사용한다.

That's / why they are also called / the Tech Generation. It's difficult / to define millennials / into one category, /
그것이 그들이 Tech(기술)세대라고도 불리는 이유이다.   새천년세대를 하나의 범주로 정의하기는 어렵지만, 그들의 습관

but we can learn / from their habits. **❶ Having been brought up in the recession,** / millennials tend to be / more
에서 알 수 있다.   불황기에 자라났기 때문에, 새천년세대는 돈을 쓰는 데에 더 신중한 경향이 있다.

careful with their money. They usually shop around / to find the best price, / but they're also willing to spend / a
그들은 보통 최적가를 찾기 위해 가게를 돌아다니지만, 멋진 소비 경험을 얻거나 가치 있는 일을

little more / to have a great customer experience / or to support a worthy cause. We can also see / that
지원하기 위해서는 기꺼이 돈을 더 쓰기도 한다.   또한, 우리는 새천년세대가

millennials are spending / more of their hard-earned cash / on experiences, like restaurants and traveling / rather
그들이 힘들게 번 돈을 유명 디자이너 제품이나 다른 물질적인 소유물보다는 식당이나 여행과 같은 경험에 소비한다는 것을 알 수

than designer brands and other material possessions.
있다.

정답　　②
문제 해설　　1980년대 초부터 2000년대 초에 태어난 새천년세대의 특징에 대한 글이므로 ② '새천년세대: 그들은 누구인가?'가 제목으로
　　　　　　가장 알맞다. ① 2000년대에 어떤 변화가 생겼는가? ③ 새천년세대의 소비 행동 ④ 새로운 도전: 경제 불황 ⑤ 새로운 세대는
　　　　　　왜 만들어졌는가?
구문 해설　❶ Having been brought up in the recession은 완료형 분사구문으로서, 주절보다 앞선 시제를 나타낸다. As they were
　　　　　　brought up in the recession으로 바꿔 쓸 수 있다.

구문+어법

1 to empty	2 to understand
3 Unless	4 Though
5 Confused	6 Having been ill
7 The weather being	8 Not having

구문 분석 노트

1 ① 동사 ② 목적 ③ 하기 위해서
2 ① 부사절 ② 시간 ③ 들으며
3 ① 분사구문 ② 이유 ③ 갈증이 나서
4 ① 완료형 ② been ③ 파괴되어

구문+어법 해석/해설

1 그는 쓰레기통을 비우기 위해 쓰레기를 내다버렸다.
to empty 이하는 목적을 나타내는 부사적 용법의 to부정사구이다.

2 이 책은 내가 이해하기에는 너무 어렵다.
too difficult ~ to understand는 정도를 나타내는 부사적 용법의 to부정사구이다.

3 당신이 주의하지 않으면 다칠 것이다.
문맥상 '~하지 않는다면'의 unless가 알맞다.

4 그것을 풀기 어려웠지만 그들은 포기하지 않았다.
문맥상 '비록 ~일지라도'의 양보를 나타내는 though가 알맞다.

5 상황이 혼란스러워서 나는 그에게 충고를 구했다.
Confused 앞에 Being이 생략된 분사구문이다.

6 나는 아파서 오랫동안 집에 머물렀다.
분사구문의 시제가 주절의 시제보다 앞선 완료형 분사구문이다.

7 날씨가 좋으면 우리는 동물원에 갈 것이다.
분사구문의 주어가 주절의 주어와 일치하지 않을 때는 주어를 써 주어야 한다.

8 초대받지 못해서 그들은 파티에 오지 않았다.
분사구문의 부정은 분사 앞에 not을 붙이는 것이 알맞다.

WORKBOOK   pp. 30~33

A
1. 시간	2. 조건	3. 이유
4. 분사구문	5. 주어	

B
1. 기대, 예상	2. 나누다	3. 규칙적으로
4. 행하다, 수행하다	5. 고용주	6. 가치 있는
7. 청혼하다, 제안하다		8. 범주
9. 발전, 진행	10. 축약형, 약자	
11. be known as	12. mess	13. experiment
14. recession	15. unsealed	16. stand for
17. tend to	18. define	19. slippery
20. recognize		

C
1. architecture	2. diligent	3. encounter
4. symbol	5. absent	

D
1. to become, 그 소년은 자라서 세계적으로 유명한 작가가 되었다.
2. Though, 그는 긴 팔을 가졌지만 그렇게까지 멀리 닿지는 않았다.
3. so long as, 당신이 규칙을 지키기만 한다면 안전할 것이다.
4. Walking, 길을 걸으면서 나는 아름다운 탑을 보았다.
5. Not having, 시간이 충분하지 않기 때문에 나는 결말을 볼 수 없다.

E
1. I was angry to see that he messed up my room.
2. While I was taking a shower, I heard my telephone ringing.
3. A study was done to suggest that this idea is true.
4. It was found that when certain combinations of blood were made, the red blood cells broke apart.
5. Although the dog has short legs, it is really fast.
6. Being sick and tired, she stayed in bed.
7. Not having slept for long, they were very tired.
8. Left alone, he started to think about the new idea.

F
1. The chocolate was too hard to chew
2. shocked to hear the news
3. Though he was very learned
4. Having been brought up in the recession
5. Saying goodbye to me
6. having seen snow before
7. The dog barking at night
8. Sam Wilson wrote the letters "US"

Unit 9 가정법

01 바로 예문

1 If she knew the reason, Mina wouldn't be angry.
미나가 이유를 안다면 화내지 않을 텐데.

2 If I were in your shoes, I wouldn't meet him again.
내가 너의 입장이라면 그를 다시는 만나지 않을 텐데.

3 If he ran faster, he could catch the ball.
그가 더 빨리 달린다면 그는 그 공을 잡을 수 있을 텐데.

4 If it had rained yesterday, we couldn't have gone camping.
어제 비가 왔다면 우리는 캠핑을 갈 수 없었을 것이다.

바로 훈련

5 If she had a cell phone, she could send me a text message. 그녀에게 휴대폰이 있다면 나에게 문자 메시지를 보낼 수 있을 텐데.

6 If Dad were in Korea, he could go to the baseball game with me. 아빠가 한국에 계시다면 나와 함께 야구 경기에 갈 수 있을 텐데.

7 If he hadn't quit school, he would have graduated last spring.
그가 학교를 그만두지 않았더라면 지난봄에 졸업했을 텐데.

8 If we had taken a taxi, we might have gotten to the theater on time.
우리가 택시를 탔더라면 극장에 제시간에 도착했을 텐데.

9 If Jack hadn't made a mistake, he could have gotten an A.
Jack이 실수를 하지 않았더라면 A를 받을 수 있었을 텐데.

02 바로 예문

1 If I had eaten breakfast, I wouldn't be hungry now.
내가 아침을 먹었다면 지금 배가 고프지 않을 텐데.

2 If you had helped me then, I would help you today.
당신이 그때 나를 도왔더라면 내가 오늘 당신을 도울 텐데.

3 If I had brought some food, I would eat it in this park.
내가 음식을 가져왔더라면 이 공원에서 먹을 텐데.

4 If he had taken my advice, he could be happier now.
그가 내 조언을 들었더라면 그는 지금 더 행복할 텐데.

바로 훈련

5 If you had gone to the party last night, you would be very tired now. 당신이 어젯밤 파티에 갔었다면 당신은 지금 매우 피곤할 것이다.

6 If they had gotten more evidence, they could win this case. 그들이 더 많은 증거를 가졌더라면 이 소송에서 이길 수 있을 텐데.

7 If I had majored in theater, I could become a main actor now. 내가 연극을 전공했더라면 나는 지금 주인공이 될 수 있을 텐데.

8 If we had recycled, we could save over 200 dollars.
우리가 재활용을 했더라면 우리는 200달러 넘게 절약할 수 있을 텐데.

9 If we hadn't sold the car, we could drive to the seaside now.
우리가 차를 팔지 않았다면 지금 차를 타고 해변에 갈 텐데.

1

❶ If we could magically turn gravity off, / what would happen? It depends on / how strongly things are
마술처럼 중력을 없앨 수 있다면 어떤 일이 일어날까?   그것은 사물들이 지구에 얼마나 강하게 붙어
attached / to the Earth. The Earth is rotating / at quite a speed. If you spin / something / around your hand on a
있느냐에 달려 있다.   지구는 상당한 속도로 회전을 하고 있다.   여러분이 무언가를 실로 매달아 손 주위로 돌린다면 그것은
string, / it goes around in a circle. When you let go of the string, / it flies off / in a straight line. "Switching off"
원을 그리며 돌게 된다.   여러분이 실을 놓으면, 그것은 직선으로 날아간다.   중력을 '끄는 것'은
gravity / would be like letting go of the string. Things / not attached to the Earth / would fly off / in a straight line.
실을 놓는 것과 같을 것이다.   지구에 붙어 있지 않은 사물들은 곧게 날아갈 것이다.
People in buildings / would suddenly shoot upwards / at a great speed / until they hit the ceiling. However, /
건물에 있는 사람들은 갑자기 굉장한 속도로 위를 향해 솟구쳐서 천장에 부딪치게 될 것이다.   하지만,
some things / like trees and many buildings, / which are rooted to the Earth, / would not fly / off so easily.
나무나 많은 건물들처럼 지구에 뿌리를 내리고 있는 것들은 그렇게 쉽게 날아가지 않는다.

정답 ②
문제 해설 (A) 주절의 시제가 직설법 현재형(goes)이므로 조건절에도 직설법 현재형 spin이 알맞다. (B) 중력이 없다는 것을 가정했을 때의 상황이므로, 가정법 과거가 되어야 하고, 지구에 뿌리를 내리고 있는 나무나 건물들은 쉽게 날아가지 않을 것이므로, would not fly가 알맞다.

2

Steve Jobs, / who was the CEO and co-founder of Apple, / developed his love for computers / for a long time.
Apple의 최고 경영자이자 공동 창업자였던 Steve Jobs는 오랜 시간에 걸쳐 그의 컴퓨터 사랑을 키워 왔다.

When he was a high school student, / he often went to a big computer company / and took after-school classes /
고등학생이었을 때, 그는 종종 대형 컴퓨터 회사에 가서 컴퓨터 공학에 관련된 방과후 수업을 들었다.

on computer technology. During summers, / he worked at the company / as a part-timer / and learned more
여름에는 그 회사에서 파트타이머로 일을 하며 컴퓨터에 관해 더 배웠다.

about computers. Although he quit college / after one semester, / he went back to take some courses / including
한 학기만 다니고 대학을 그만두기는 했지만, 그는 다시 대학에 가서 몇몇 강의를 수강했는데, 그 중에는 그가

his favorite class, calligraphy. It was about the art of beautiful typography, / and later this helped him create / both
가장 좋아한 과목인 캘리그래피도 포함되어 있었다. 그것은 아름다운 서체에 관한 것으로서, 나중에 그가 iPod와 iPhone을 개발

the iPod and the iPhone. He not only joined a computer club / but also made computers himself. ● If Steve Jobs
하는 데 도움이 되었다.   그는 컴퓨터 동아리에 가입했을 뿐 아니라, 직접 컴퓨터를 만들기도 했다.   Steve Jobs가

hadn't continued / his study on that subject, / these two bestsellers would not exist now.
그 분야에서 공부를 계속하지 않았다면, 그 두 베스트셀러는 오늘날 존재하지 않을 것이다.

정답   ④
문제 해설   Steve Jobs가 학창시절 강의를 통해 배운 것이 제품을 개발하는 데 도움이 됐다는 내용과, 그 분야의 공부를 계속하지
         않았다면 베스트셀러가 존재하지 않을 것이라는 내용 사이에 ④ '컴퓨터 동아리에 가입하고 직접 컴퓨터를 만들었다'는 내용은
         문맥상 어울리지 않는다.
구문 해설   ● If Steve Jobs hadn't continued ..., these two bestsellers would not exist now.는 혼합가정법 문장으로, if절은 과거
         사실에 대한 반대를 나타내는 가정법 과거완료, 주절은 현재 사실에 대한 반대를 나타내는 가정법 과거 형태로 되어 있다.

STEP 1 ››› 구문 Start   pp. 98~99

03 바로 예문

1 I wish I could get some rest.
   내가 쉴 수 있으면 좋을 텐데.
2 I wish I had known the recipe for the soup.
   내가 그 수프의 조리법을 알았더라면 좋을 텐데.
3 She behaves as if she were a millionaire.
   그녀는 마치 백만장자인 것처럼 행동한다.
4 He acts as if he hadn't seen me there.
   그는 마치 거기서 나를 못 봤던 것처럼 행동한다.

   바로 훈련

5 I wish I had a chance to make things right again.
   내가 다시 (상황을) 바로잡을 기회가 있으면 좋을 텐데.
6 It seemed as if he had heard the rumor about Ken.
   그는 마치 Ken에 관한 소문을 들은 것 같았다.
7 The girl in the picture looked as if she fell asleep.
   그림 속 소녀는 마치 잠든 것처럼 보였다.
8 I wish it would stop raining and we could swim in the
   pool outside.
   비가 그쳐서 우리가 야외 풀장에서 수영할 수 있으면 좋을 텐데.
9 He walked away without a word as if we weren't in
   the room. 그는 마치 우리가 그 방에 없는 것처럼 한 마디도
   없이 떠나 버렸다.

04 바로 예문

1 But for the test, all the students would be happy.
   시험이 없다면, 모든 학생들이 행복할 텐데.
2 Without the sun, nothing could live.
   태양이 없다면 아무것도 살 수 없을 것이다.
3 Were it not for gravity, people couldn't walk.
   중력이 없다면 사람들은 걸을 수 없을 것이다.
4 Had it not been for freedom, it wouldn't have been
   peaceful. 자유가 없었다면 평화롭지 않았을 것이다.

   바로 훈련

5 Without the support of my family, I couldn't have
   succeeded.
   가족들의 지지가 없었더라면 나는 성공할 수 없었을 것이다.
6 But for his leadership, we couldn't have won the
   game last night. 그의 리더십이 없었더라면 우리는 지난밤
   경기에서 이길 수 없었을 것이다.
7 If it were not for his dog, he would feel very lonely.
   그의 개가 없다면 그는 매우 외로울 것이다.
8 A smart student wouldn't make such a mistake.
   영리한 학생이라면 그런 실수를 하지 않을 텐데.
9 Had it not been for her, the movie couldn't have been
   completed. 그녀가 없었다면 그 영화는 완성되지 못했을 것이다.

3

In the Solomon Islands in the South Pacific, / some villagers practice / a unique form of logging. If a tree is /
남태평양의 솔로몬제도에서는, 일부 마을사람들이 특이한 방식의 벌목을 한다.   만약 어떤

too large to be cut with an ax, / the natives cut it down / by yelling at it! Woodsmen climb up on a tree / right at
나무가 도끼로 자르기에 너무 크면, 원주민들은 그 나무에 소리를 질러서 베어낸다! 나무꾼들은 동틀 무렵에 나무에 올라가서

dawn / and suddenly scream at it / at the top of their lungs / **❶ as if the tree were a human**. They continue this /
나무가 마치 사람인 것처럼 갑자기 목청껏 소리친다.   그들은 이것을 30일

for thirty days. The tree dies / and falls over. According to the villagers, / the yelling kills the spirit of the tree / and
동안 계속한다.   나무는 죽어서 넘어진다.   마을 사람들에 따르면, 고함이 나무의 영혼을 죽이고 그것은 항상 효과가 있다고

it always works. In a similar way, / we modern, urban people / yell / at the traffic and bills and banks and machines.
말한다.   비슷한 방식으로 현대의 도시적인 우리들은 교통과 청구서와 은행과 기계에 소리친다.

We don't know / what good it does. Machines and things / just sit there. Even kicking / doesn't always help.
그것이 무슨 소용이 있는지 우리는 알지 못한다. 기계와 물건들은 그냥 거기에 있을 뿐이다.   발로 차는 것조차 항상 도움이 되는 것은 아니다.

As for people, / the Solomon Islanders / may have a point. Yelling at living things / does tend to kill / the spirit in
사람에 관해서라면, 솔로몬제도 사람들은 일리가 있다.   살아있는 것들에 소리치는 것은 그 안에 있는 영혼을 정말로

them. Sticks and stones may break our bones, / but words will / break our heart and soul.
죽이는 경향이 있다. 막대기와 돌은 우리의 뼈를 부러뜨리지만, 말은 우리의 마음과 영혼을 파괴한다.

정답   ②
문제 해설   솔로몬제도 사람들이 벌목하는 사례를 통해 말이 영혼을 죽일 수 있다는 것이므로 ② '우리의 마음과 영혼을 파괴한다'가
          빈칸에 가장 적절하다. ① 우리의 육체 건강을 해친다   ③ 거대한 나무를 쓰러뜨린다   ④ 기계에는 소용이 없다   ⑤ 공기 중으로
          사라진다
구문 해설   ❶ as if the trees were a human은 「as if + 가정법」 구문으로, '마치 ~인 것처럼'으로 해석한다.

4

Darren Baker plays / an important role / on the Dodgers team. **❶ Without his help, / the players could not hit**
Darren Baker는 다저스 팀에서 중요한 역할을 한다.   그의 도움이 없다면 선수들은 공을 칠 수가 없다!

the ball! / He is not a baseball player / though. He is a bat boy! A bat boy or bat girl / does much more / than just
            하지만 그는 야구선수가 아니다.   그는 배트 보이이다! 배트 보이나 배트 걸은 단지 야구선수들의 배트를 줍는

pick up the bats / of baseball players. He or she is also responsible / for many other tasks, / including cleaning
것 이상의 많은 일을 한다.   그들은 선수들의 헬멧을 닦거나 선수들에게 배트를 갖다 주는 것을 포함하여 많은 다른

the players' helmets / and giving bats to the players. Then / how do you become / a bat boy or girl? To become
일도 맡고 있다.   그러면 어떻게 배트 보이나 걸이 될 수 있을까?   메이저리그

a bat boy or a girl / for a Major League Baseball team, / you need to be at least 14 years old / and know the
야구팀의 배트 보이나 걸이 되기 위해서는 14살 이상이어야 하며, 야구 경기의 규칙을 알아야 한다.

rules of baseball. Being a bat boy or girl / is a lot of hard work / with long hours and not much pay. But, you have
            배트 보이나 걸이 되는 것은 장시간 일하고 낮은 보수를 받는 아주 힘든 일이다.   그러나 자신이

the chance / to meet players / and get autographs, / as well as to watch your favorite team play / for free!
좋아하는 팀의 경기를 무료로 볼 뿐만 아니라 선수들을 만나고 사인을 받을 수 있는 기회가 있다!

정답   ⑤
문제 해설   장시간 일하고 낮은 보수를 받는 아주 힘든 일이라고 했으므로 근무시간이 짧다는 ⑤는 일치하지 않는다.
구문 해설   ❶ Without his help, the players could not hit the ball!은 가정법 과거 문장이다. Without his help는 If it were not for his
          help로 바꿔 쓸 수 있다.

구문+어법

1 as if	2 were
3 could	4 had found
5 Without	6 Had it not been
7 had	8 live

구문 분석 노트

1 ① 동사의 과거형 ② 가정법 과거 ③ 수영하러
2 ① 과거완료 ② 혼합 ③ 끝냈더라면
3 ① 과거완료 ② 마치 ③ 이해했던 것처럼
4 ① were not ② if절 ③ 공기가 없다면

구문+어법 해석 / 해설

1 그는 마치 모든 것을 아는 듯이 내게 말한다.
문맥상 '마치 ~인 것처럼'의 뜻인 as if가 알맞다.
2 내가 저 영화의 특수요원이라면 좋겠다.
현재 실현되기 어려운 소망을 나타내는 가정법 과거 형태로 were가 알맞다.
3 만약 그가 자세한 것을 설명했다면 우리는 더 잘 이해할 수 있을 텐데.
과거에 잘 설명하지 않아 지금 이해하기 어렵다는 의미이므로 혼합 가정법 형태의 could understand가 알맞다.
4 만약 우리가 암호를 알았더라면 방에 들어갈 수 있었을 텐데.
과거 사실의 반대를 가정하는 가정법 과거완료로 had found가 알맞다.

5 교통 체증이 없었더라면 우리는 훨씬 더 빨리 도착했을 텐데.
문맥상 '~이 없었다면'이라는 표현이 필요하므로 without이 알맞다.
6 당신의 도움이 없었다면 나는 시험에서 떨어졌을지도 모른다.
과거 사실의 반대를 가정하는 가정법 과거완료 형태이며, If it had not been for에서 if가 생략된 Had it not been for가 알맞다.
7 나 혼자만의 방이 있다면 밤에 잠을 잘 잘 수 있을 텐데.
현재 상황과 반대되는 가정을 하는 가정법 과거이다.
8 Sally가 그때 파리로 이사 갔더라면 지금 그곳에 살 텐데.
과거의 행동을 가정하여 그것이 현재에 미치는 영향을 나타내는 혼합 가정법 형태가 알맞다.

WORKBOOK

A
1. 동사원형	2. 혼합 가정	3. Without
4. Had it not	5. 명사구	

B
1. (여행용) 짐	2. 붙이다	3. 회전하다
4. 학기	5. 평화적인	6. 소리치다
7. 도시의	8. 역할	9. 벌목하다
10. 영혼, 정신	11. recycle	12. gravity
13. upwards	14. graduate	15. rumor
16. good	17. dawn	18. native
19. pick up	20. autograph	

C
1. asleep	2. rotate	3. leadership
4. evidence	5. quit	

D
1. Without, 그의 노력이 없었다면 우리는 실패했을 것이다.
2. I wish, 유럽에 있는 그 아름다운 성을 방문했다면 좋았을 텐데.
3. But for, 고속열차가 없다면 네 시간 넘게 걸릴 것이다.
4. join, 우리에게 기회가 있다면 그 노래 동아리에 들어갈 텐데.
5. had gone, 만약 당신이 어젯밤 파티에 갔었다면 지금 매우 피곤할 것이다.

E
1. I wish I had taken the English course last semester.
2. Without the sun, nothing on the Earth could live.
3. If we could magically turn gravity off, what would happen?
4. If Steve Jobs hadn't continued his study, these bestsellers would not exist now.
5. If he had gotten up early, he might have arrived there on time.
6. Hilda shopped in many stores as if she were rich.
7. If I had a yacht, I would go sailing on the sea.
8. But for the test, all the students would be happy.

F
1. If we had more time and energy
2. Without the bat boy's help
3. as if the tree were a human
4. I wish I had a chance
5. as if he were a real British person
6. If I had eaten breakfast
7. If we had arrived at the airport on time
8. I could visit him

Unit 10 여러 가지 특수 구문

pp. 104~105

STEP 1 >>> 구문 Start

01 바로 예문

1 Nothing is as attractive as the wonder of nature.
자연의 경이로움만큼 매력적인 것은 없다.

2 Dean trusted Jane more than any other friend.
Dean은 Jane을 다른 어떤 친구보다 더 믿었다.

3 Nobody was doing better than him.
아무도 그보다 더 잘하진 못했다.

4 I like English more than any other subject.
나는 다른 어떤 과목보다도 더 영어를 좋아한다.

바로 훈련

5 Mt. Everest is higher than any other mountain in the world. 에베레스트산은 세상의 다른 어떤 산보다도 더 높다.

6 Nothing is as valuable as your passion.
당신의 열정만큼 가치가 있는 것은 없다.

7 This structure is larger than all the others in the city.
이 건축물은 이 도시에 있는 다른 모든 것들보다 크다.

8 No other way in this situation is as simple as mine.
지금 상황에서 다른 어떤 방법도 나의 것만큼 간단하지 않다.

9 The elephant is bigger than any other animal in the zoo.
코끼리는 그 동물원에 있는 어떤 다른 동물보다 크다.

02 바로 예문

1 The weather is getting warmer and warmer.
날씨가 점점 더 따뜻해지고 있다.

2 My mother is three times as old as I am.
우리 엄마는 나보다 세 배 나이가 더 많으시다.

3 She is the last person to make you angry.
그녀는 당신을 결코 화나게 하지 않을 사람이다.

4 The more you have, the more you want.
더 가질수록 더 원하게 된다.

바로 훈련

5 The bigger the house is, the more money it will cost.
집이 클수록 비용은 더 들어갈 것이다.

6 The population of Brazil is four times as large as that of Korea. 브라질의 인구는 한국 인구의 네 배이다.

7 This red dress is twice as expensive as that blue one.
이 빨간 드레스는 저 파란 드레스보다 두 배 더 비싸다.

8 The rumor about the politician is spreading faster and faster. 그 정치인에 관한 소문이 점점 더 빨리 퍼지고 있다.

9 You're the last person I expected to show up at this party. 당신은 이 파티에 나타날 거라고 결코 내가 예상하지 않았던 사람이다.

STEP 2 >>> 독해력 Upgrade

pp. 106~107

1

A 6-year-old cute dog named Dr. Duffy / visits the hospital room / every Tuesday / with his owner Robinson.
Dr. Duffy라고 불리는 6살짜리 귀여운 개가 매주 화요일 그의 주인 Robinson과 함께 병실을 방문한다.

Dr. Duffy goes to the hospital / not because he is ill, / but because he cures the patients! He is a therapy dog.
Dr. Duffy는 아프기 때문에 병원에 가는 것이 아니라, 그가 환자를 치료하기 때문에 병원에 간다!   그는 치료견이다.

His owner Robinson says, / "He changes / the whole atmosphere of the floor / and lifts / everyone's spirits.
그의 주인 Robinson은 말한다, "그가 그 층의 모든 분위기를 바꾸고 모든 사람의 기분을 좋게 만들어 줍니다.

All of the smiles / come out." He may not technically be / part of the medical treatment, / but the dog can help
모든 웃음이 터져 나오죠."   그가 전문적으로 의학적 치료의 일부분은 아닐지 모르지만, 그 개는 사람들의 엔도르핀 농도를

increase endorphin levels / and even help / children on the road to recovery / after surgery. "I've heard / many
증가시키는 데 도움을 주고 수술 후 치료 중인 아이들도 도와줄 수 있다.   "저는 많은 간호사

nurses say to me, / ❶ **'Nothing is more effective / than Dr. Duffy** / when we get a child / out of bed.
들이 제게 말하는 걸 들어 왔어요. '아이를 침대에서 불러내는 데 Dr. Duffy보다 효과적인 것은 없어요.

When Dr. Duffy comes along, / almost every child / gets out of bed / and walks the dog,'" he boasted.
Dr. Duffy가 오면 거의 모든 아이가 침대에서 나와서 개를 산책시켜요' 라고요," 그가 자랑했다.

정답   ⑤
문제 해설   ①~④는 모두 개 Dr. Duffy를 가리키지만, ⑤는 그의 주인인 Robinson을 가리킨다.
구문 해설   ❶ Nothing is more effective than Dr. Duffy는 최상급(Dr. Duffy is the most effective)의 의미를 가진 비교급 문장이다.

What would you do / with a bill / that has been torn in half? Or what if part of the bill / is torn off and missing?
여러분은 지폐가 반으로 찢어졌다면 어떻게 할 것인가?   혹은 돈의 일부가 찢겨져 사라졌다면 어떻게 할 것인가?
You should visit / the nearest bank. Old paper money / which is torn and dirty / is taken out of circulation / by the
당신은 가장 가까운 은행에 가야 한다.   찢어지고 더러운 낡은 돈은 중앙은행에 의해 유통에서 제외된다.
central bank. If not, / we'd find it inconvenient / to use the money. The average life of a paper bill / is less than 10
       그렇지 않으면 우리가 돈을 사용하는 것이 불편해질 것이다. 지폐의 평균 수명은 10년이 채 안 되고 액면가가 높을
years / and ❶ **the higher the face value, / the longer the life**! Every day, / the central bank receives / worn and
수록 수명도 더 길다!   매일 중앙은행은 다른 은행들로부터 낡고 더러운 돈을
dirty money / from other banks, / and it destroys it. If you have a damaged paper bill, / this doesn't make it
받아서 폐기한다.   만약 손상된 화폐를 갖고 있다 하더라도 이것이 가치가 없는 것은
worthless. If three-fourths of the note / is preserved, / you can take it / to the bank / and get its full value. If more
아니다.   만약 지폐의 4분의 3이 보존되어 있다면 은행으로 가져가서 전액을 받을 수 있다.   만약 5분의
than two-fifths / is preserved, / you will get / half of its value. But / if less than two-fifths / is preserved, / it is
2 이상이 보존되어 있다면, 화폐 가치의 절반을 받을 것이다.   그러나 5분의 2 이하라면 그것의 가치는 없다.
valueless.

정답   ③
문제 해설   찢어지고 낡은 돈은 중앙은행이 화폐의 유통에서 제외시키며, 손상된 돈은 남아있는 정도에 따라 교환해 준다는 내용이므로 ③
        '낡은 돈의 처리 방법'이 제목으로 가장 알맞다. ① 중앙은행의 중요한 역할 ② 낡은 지폐의 가치 ④ 은행 지점의 감소 ⑤ 화폐
        수명의 연장
구문 해설   ❶ the higher the face value, the longer the life는 「the+비교급~, the+비교급 ...」 구문으로, '~할수록 더 ...하다'의
        의미이다.

STEP 1 »» 구문 Start

pp. 108~109

03 바로 예문

1 Here comes the bus.
여기에 버스가 온다.

2 She's not embarrassed by the rumor at all.
그녀는 그 소문에 전혀 당황하지 않았다.

3 My father is a magician, and so is my mother.
나의 아버지는 마술사이고 엄마도 마찬가지이다.

4 He didn't care about the problem in the least.
그는 그 문제를 전혀 신경 쓰지 않았다.

바로 훈련

5 Outside of the gate stood a strange dog.
대문 밖에 낯선 개가 서 있었다.

6 Not a single word did he say to his teacher.
그는 선생님에게 한마디도 말하지 않았다.

7 It was the day before yesterday that I went to the exhibition.
내가 전시회에 간 것은 바로 그저께였다.

8 Tracy couldn't use the washing machine, and neither could her sister.
Tracy는 세탁기를 쓸 줄 몰랐고, 그녀의 언니도 그랬다.

9 Even though he explained it to me, I couldn't understand in the least.
그가 내게 그것을 설명했음에도 불구하고 나는 전혀 이해할 수가 없었다.

04 바로 예문

1 I heard the news that the criminal was caught.
나는 범인이 잡혔다는 소식을 들었다.

2 Neither my sister nor I was late for school today.
나의 여동생도 나도 오늘 학교에 늦지 않았다.

3 We went to the movies, Chloe, Tom and I.
Chloe와 Tom 그리고 나, 이렇게 우리는 영화를 보러 갔다.

4 Judy hates not only carrots but also broccoli.
Judy는 당근뿐만 아니라 브로콜리도 싫어한다.

바로 훈련

5 My brother is interested in cooking as well as taking photos.
나의 형은 사진 찍는 것뿐만 아니라 요리에도 관심이 있다.

6 We didn't know the fact that he had volunteered for 10 years.
우리는 그가 10년 동안 자원봉사를 해왔다는 사실을 몰랐다.

7 He was praised and admired for his courageous decision.
그는 용기 있는 결정으로 칭찬받고 존경받았다.

8 Jake, the tallest boy of my classmates, is my best friend. 내 급우들 가운데 가장 키가 큰 소년 Jake는 내 가장 친한 친구이다.

9 We should exercise regularly and eat nutritious food.
우리는 규칙적으로 운동하고 영양가 있는 음식을 섭취해야 한다.

3

❶ **It is** / **not just longer hours of work** / **that have affected modern eating habits**. / Modern technology
현대의 식습관에 영향을 끼친 것은 단지 더 길어진 근무 시간만은 아니다.   현대 기술 또한 그것과

also has / something to do / with them. For example, / look at cars. First, / cars became popular / and then fast
관련이 있다.   예를 들어, 자동차를 생각해 보자. 먼저 자동차가 인기를 끌게 되었고, 그러고 나서

food was invented / so that people could eat / in their cars. And today / many fast food chains are trying / to
사람들이 차에서 먹을 수 있도록 패스트푸드가 발명되었다.   그리고 오늘날 많은 패스트푸드 체인점들은 도로에서 운전

create more kinds of foods / that are easy for drivers to eat / while on the road. Computers have also changed /
자들이 먹기 쉬운 더 많은 종류의 음식을 개발하려고 애쓰고 있다.   컴퓨터 또한 현대의 식습관을 바꾸어

modern eating habits. Teenagers don't want to take time / away from surfing or gaming, / so they snack / in front
놓았다.   십 대들은 검색이나 게임을 떠나서 시간을 빼앗기고 싶어 하지 않기 때문에 그들은 컴퓨터 앞에서 간단한

of their computers. And many people are connected to computers / ❷ **in the office, at home, and even on the**
식사를 한다.   그리고 많은 사람들이 사무실이나, 가정, 심지어는 도로에서 컴퓨터에 연결되어 있어서, 사람들이 가족이나

road, / so there is little free time / for people to share a relaxed meal / with family or friends.
친구들과 편안한 식사를 함께 할 여가 시간이 거의 없다.

정답   ③
문제 해설 빈칸에는 길어진 근무 시간 외에 현대 식습관에 영향을 끼친 요소가 와야 하는데, 빈칸 뒤에 이어지는 내용은 자동차와
컴퓨터의 대중화와 관련된 것이다. 따라서 둘을 아우를 수 있는 ③ '현대 기술'이 빈칸에 가장 알맞다. ① 여가 시간 ② 식품
산업 ④ 컴퓨터 공학 ⑤ 근무 환경
구문 해설 ❶ It is not just longer hours of work that have affected modern eating habits.는 It is ~ that 강조 구문으로, 원래
문장(Not just longer hours of work have affected modern eating habits.)에서 주어를 강조한 형태이다.
❷ in the office, at home, and even on the road는 3개의 전치사구가 병렬 구조를 이루고 있다.

4

Atlantis is / the name of a civilization / which is said to have been lost / under the ocean / thousands of years
아틀란티스는 수천 년 전에 해양 아래로 사라졌다고 얘기되는 문명의 이름이다.

ago. But was Atlantis / a real place? In fact, / there is little reason / to believe / Atlantis existed. Millions of dollars /
하지만 아틀란티스는 실제로 존재한 곳일까? 사실 아틀란티스가 존재했다고 믿을 이유는 거의 없다.   그 잃어버린 도시를

have been spent / by researchers / trying to find the lost city. However, / no art, language, or people from Atlantis /
찾기 위해 조사자들에 의해 수백만 달러가 소비되었다.   하지만 아틀란티스의 예술, 언어, 사람들은 발견된 적이 없다.

have ever been found. Besides, / the only record of Atlantis was written / by the philosopher Plato.
    게다가 아틀란티스에 대한 유일한 기록은 철학자 플라톤에 의해 쓰인 것이다.

In his writing, / Plato described / ❶ **a wonderful kingdom,** / **an island greater in extent than Libya and Asia**.
그의 글에서 플라톤은 크기가 리비아와 아시아보다 더 큰 섬인 멋진 왕국에 대해 묘사했다.

But if there had been such a place, / there should be some trace of it left.
하지만 그런 장소가 있었다면 그것의 자취가 남아 있어야 한다.

정답   ②
문제 해설 아틀란티스를 찾기 위한 노력에도 불구하고 그것이 존재한다고 믿을 만한 근거가 거의 없다는 내용이므로, 이 글의 제목으로는
② '아틀란티스: 그것은 정말로 존재했는가?'가 가장 알맞다. ① 역사 속 신비의 섬들 ③ 잃어버린 도시를 찾기 위한 노력 ④
아틀란티스의 흔적이 발견되다! ⑤ 아틀란티스: 그것은 위대한 왕국이었다!
구문 해설 ❶ a wonderful kingdom과 an island greater in extent than Libya and Asia는 동격 관계이다.

구문+어법

1 as	2 girl
3 older	4 as
5 It	6 to grow
7 have I	8 that

구문 분석 노트

1 ① 원급 ② 최상급 ③ 건강만큼
2 ① 비교급 ② 할수록 ③ 더 쉬워진다
3 ① 부정어 ② 도치 ③ 꿈도 꾸지
4 ① 동격어구 ② 보충 설명 ③ 친구인

구문+어법 해석/해설

1 이 공연만큼 지루한 것은 없다.
부정어 주어(Nothing)와 원급 비교를 사용하여 최상급을 나타내는 표현이다.

2 이 교실에 있는 어떤 소녀도 Cathy보다 똑똑하지 않다.
No other 뒤에 단수 명사가 와야 한다.

3 나이가 들수록 친구가 더 적어진다.
문맥상 '더 나이가 들수록'을 뜻하는 older가 알맞다.

4 이 사각형은 저것보다 세 배 더 크다.
배수 표현은 「배수+as+원급+as」로 나타낸다.

5 내가 처음 Tony를 만난 것은 버스에서였다.
on the bus라는 부사구를 강조하는 문장이므로 It is ... that을 사용한다.

6 어머니는 식물 기르는 것 뿐만 아니라 그림 그리는 것도 좋아하신다.
as well as를 통해 to paint와 병렬 관계로 연결되는 to grow가 오는 것이 알맞다.

7 나는 이토록 아름다운 풍경은 본 적이 없다.
부정어 Hardly가 문장 맨 앞으로 오면서 주어와 동사가 도치되었다.

8 그녀는 상황이 곧 나아질 것이라는 믿음이 있다.
the belief와 동격 관계를 이루는 that절이 오는 것이 알맞다.

WORKBOOK

A

1. 원급	2. the last	3. 도치
4. 부정어	5. that	6. 병렬

B

1. 매력적인	2. 전시회	3. 분위기
4. 회복	5. 영향을 미치다	
6. 영양가 있는	7. 당황스럽게 만들다	
8. 칭찬하다	9. 사실	10. 치료
11. passion	12. expect	13. valuable
14. worn	15. modern	16. technology
17. admire	18. extent	19. philosopher
20. civilization		

C

1. trace	2. describe	3. population
4. cost	5. boast	

D

1. than, 나는 다른 어떤 과목보다도 과학을 좋아한다.
2. wonderful, 가을에 파란 하늘만큼 멋진 것은 없다.
3. the last, 너를 결코 화나게 할 것 같지 않은 사람은 누구니?
4. did he, 그는 상사에게 한마디도 말하지 않았다.
5. that, 내가 번지점프를 처음으로 시도한 것은 뉴질랜드에서였다.

E

1. The tropical forest is hotter than any other place in the world.
2. did I sleep the night before we went on a trip.
3. Nothing is more effective than Dr. Duffy when we get a child out of bed.
4. Plato described a wonderful kingdom, an island greater in extent than
5. The warmer it is, the more living things live in the water.
6. He played the violin, my favorite musical instrument.
7. The higher a mountain is, the more people want to climb it.
8. I heard the rumor that the criminal might be in the company.

F

1. Nothing is as good as hot lemon tea
2. The higher the face value
3. No other river in the world is longer
4. reading, exercising and resting
5. the capital of France, is famous for
6. twice as interesting as
7. and neither did Tom
8. It is not just longer hours of work

정답은
이안에
있어 !

첫!

내 성적의 비밀에는 이유가 있어

기본 탄탄 나의 첫 중학 내신서

체크체크 전과목 시리즈

국어
공통편·교과서편/학기서

모든 교과서를 분석해 어떤 학교의
학생이라도 완벽 내신 대비

수학
학기서

쉬운 개념부터 필수 개념 문제를
반복 학습하는 베스트셀러

사회·역사
과학
학기서/연간서

전국 기출 문제를 철저히 분석한
학교 시험 대비의 최강자

영어
학기서

새 영어 교과서의 어휘/문법/독해
대화문까지 반영한 실전 대비서

조금더
공부해
볼까?